de
Ostpolitik

Vier Jahre nach Kassel und Erfurt

Protokoll der Veranstaltung in der Reihe

Hessenforum

Herausgegeben von Eugen Kogon

mit Beiträgen von
Egon Bahr, Günther Gillessen,
Richard Löwenthal, Heinrich Lummer,
Wolfgang Mischnick, Jean Paul Picaper,
Klaus Schütz, Theo Sommer,
Olaf von Wrangel

aspekte verlag

Reihe Hessenforum
Herausgeber: Eugen Kogon
Redaktion: Karin Hirschfeld-Lewandowsky
Umschlagentwurf: Kristian Roth
Grafische Gesamtgestaltung: Gerhard Keim
Drucktechnische Verarbeitung: Druck + Verlag, Kassel
© 1974 by aspekte verlag gmbh, Frankfurt am Main
ISBN 3-921096-26-X

Inhalt

Eugen Kogon: Vorwort

Das 4. Hessenforum unterschied sich vom 2. und 3. (»Die Rahmenrichtlinien«) wie diese vom 1. Hessenforum (»Konflikt und Konsens«): Der sachlichen Einführung und Grundlegung waren die heftigen Kontroversen um die Initiativen zur Reform des Unterrichts in Gesellschaftslehre und Deutsch an den hessischen Schulen gefolgt, die Bilanz von vier Jahren der neuen deutschen Ostpolitik war als zusammenfassender kritischer Überblick gedacht, der die Möglichkeiten der Weiterentwicklung mitbieten sollte.

Daß die demokratische Meinungsbildung kein einfaches Geschäft ist, weiß jeder, der eingehend und nachhaltig darum bemüht ist. Sie erfolgt auf die mannigfachste Weise und erfordert »einen langen Atem«. Die Beiträge zu ihr werden nach Bedeutung und Verlauf, bis sie ihre bleibenden Ergebnisse gefunden hat, so unterschiedlich beurteilt wie die einzelnen Themen selbst, um die es jeweils geht. Das zeigt beispielsweise das Echo, das »Kassel« in den Stellungnahmen der Berichterstatter gefunden hat. Hier einige Auszüge aus Zeitungen:

»… Der Saal und die Emporen prall gefüllt mit politisch interessierten Menschen und den technischen Hilfsmitteln, die Rundfunk und Fernsehen für die zum Teil ›live‹-übertragenen Aufnahmen benötigten, die Pressetische links und rechts besetzt mit den Journalisten, die auch damals zum großen Teil mit dabei waren, als Willy Brandt und Willi Stoph sich in Kassel trafen … Auch das 4. Hessenforum war die Reise nach Kassel wert.« (Nordhessische Zeitung)

»Das 4. Hessenforum geriet zunehmend zu dem müdesten von allen bisherigen, zumal da sich auch beim Publikum zeigte, daß gesamtdeutsches Interesse verglichen mit anderen Themen, beispielsweise mit der hessischen Schulpolitik, nur wenig entwickelt ist.« (Stuttgarter Zeitung)

5

»Vier Stunden hörten sich die etwa 1000 Zuhörer in der Kasseler Stadthalle aufmerksam die recht sachlich geführte Diskussion an. Und als sie schließlich ums Wort gebeten wurden, zeigte sich, daß die Ostpolitik bei weitem nicht so viele Emotion zu wecken im Stande ist, wie sie das 2. und das 3. Hessenforum noch bestimmt hatten.«(Wiesbadener Tagblatt)

»Das 4. Hessenforum darf sicher als der Versuch einer redlichen Bestandsaufnahme der Ostpolitik Bonns gewertet werden. Bei einer strafferen Gesprächsführung — Eugen Kogon ließ die Diskussion weitgehend treiben — wäre in kürzerer Zeit bestimmt mehr herausgekommen. Immerhin konnten sich die Männer auf dem Podium profilieren — oder wenigstens versuchen, es zu tun. Und das ist in Wahlzeiten doppelt viel wert.« (Wiesbadener Kurier)

»Die Bilanz geriet zu einer nach Ansicht von Beobachtern bemerkenswert nüchternen Bestandsaufnahme, der rund 1000 Zuhörer mit gespannter Aufmerksamkeit länger als fünf Stunden folgten.«(Darmstädter Echo)

»In den Hessenforen sollen, so Ministerpräsident Osswald, ›politisch kontroverse Themen‹ diskutiert werden, um ›Argumente für politische Entscheidungen‹ zu liefern. Ob das 4. Hessenforum … diesem Anspruch gerecht wurde, ist zweifelhaft. Das Thema, scheint es, ist ziemlich ausdiskutiert, jedenfalls sein historischer Teil … So konnten sich die Diskutanten in aller Ruhe ihren eher akademischen Betrachtungen widmen, die streckenweise einem historischen Seminar glichen …« (Frankfurter Rundschau)

»Der Diskussionsleiter Eugen Kogon waltete in gewohnter ungeteilter Parteilichkeit. Jedoch traf ihn der Vorwurf zu Unrecht, Diskussionsbeiträge aus dem Publikum allzu spät zugelassen zu haben; wer sich schließlich vor das Mikrophon und an die Bildschirme drängte, redete kaum Vernünftiges. Wenn die hessische Regierung ihr Hessenforum in ein gewöhnliches Fernsehstudio verlegt hätte, hätte sie viel Geld erspart; der Aufwand stand in keinem Verhältnis zum Ertrag, nicht einmal für den Wahlkampf.« (Frankfurter Allgemeine Zeitung)

»Den Zuhörern blieb nur wenig mehr als eine Stunde zur Teilnahme an der Diskussion. Unter den rund ein Dutzend, die ans Mikrophon traten, gaben jugendliche Mitglieder der DKP und Weltverbesserer den Ton an.« (Fuldaer Zeitung)

6 »Beim 4. Hessenforum diskutierten die Experten zu lang, und

als das Publikum endlich um 22.30 Uhr an die Mikrophone ge-
lassen wurde, war ›die Luft 'raus‹. Da fehlte die Motivation zu
themenbezogenen Fragen, und nur noch Unentwegte wie der
bei Hessenforen bereits Narrenfreiheit genießende ›Philosoph‹
und die religiös-politischen Eiferer von der ›European Labour
Party‹ sahen noch Anlaß, Diskussionsbeiträge zu liefern. Da
kehrte dann auch endlich Leben ein in die Stadthalle zu Kas-
sel … Vielleicht überlegt man sich beim Veranstalter, wie man
es schaffen kann, das Publikum (und zwar den ›ernsthaften‹
Teil) früher und effektiv einzuschalten ins Gespräch der Ex-
perten. Ein Weg dorthin ist die Diskussionsleitung: Wenn man
vorher die Spielregeln abspricht (Redezeit, Frageform) mit
dem Publikum und dann selbstbewußt genug ist, auf Einhal-
tung zu achten, dann werden die Chancen des Hessenforums,
eines Tages eine der attraktivsten politischen Fernsehveran-
staltungen zu werden, sicher noch größer, als sie es vor der
vierten Auflage schon waren.« (Oberhessische Presse)

Wer auf dem Marktplatz agiert, hat, mag seine eigene Erfahrung groß genug sein, viele Ratgeber. Das gehört zur demokratischen Mitbestimmung im großen. Die Bemerkung ist
aber erlaubt, daß kritische Bestandsaufnahmen, Zusammen-
fassungen, sachkundige Überblicke von Zeit zu Zeit und bei
Themen, die zweifellos nicht jedermann von vornherein und
von sich aus genügend durchschaut, mit zur demokratischen
Aufklärung gehören.
Das Protokoll vom 4. Hessenforum mag die Nachlesenden
aus eigenem darüber urteilen lassen, ob solche Art von Information, die sich unspektakulär aus dem Podium von Experten ergibt, es wert ist (keineswegs teurer als beim Fernsehen),
als ebenfalls notwendiger Bestandteil öffentlicher Meinungsbildung zu gelten.

Hessenforum IV

Vier Jahre nach Kassel und Erfurt.
Bilanz der neuen Ostpolitik.

Eugen Kogon: Meine Damen und Herren, ich begrüße Sie zum 4. Hessenforum mit dem Thema »Vier Jahre nach Kassel und Erfurt — Bilanz der neuen Ostpolitik«.

Die Hessenforen dienen der Information der Öffentlichkeit, und zwar durch Erörterung von Vorgängen, Ereignissen, Zuständen, Absichten, die für die Gesamtentwicklung bei uns in Hessen und darüber hinaus von besonderer Bedeutung sind.

Sicherlich haben viele von Ihnen die beiden »Diskussionen« über die Rahmenrichtlinien — zumindest am Fernsehen — miterlebt. Diese heißen Debatten arteten teilweise aus in arge Auseinandersetzungen, so außerordentlich war die Öffentlichkeit und waren die unmittelbaren Teilnehmer engagiert in der Frage, wie an unseren Schulen heutzutage »Gesellschaftslehre« und »Deutsch« unterrichtet werden sollen.

Unser Thema heute abend ist von anderer Art. Wir werden hier am Podium eine sachkundige Auseinandersetzung zwischen Politikern erleben, die selbst Entscheidungsverantwortung tragen, sei es, daß sie für die neue Ostpolitik eingetreten sind, sei es, daß sie sich kritisch dazu äußern oder sogar dagegen sind. Zum andern sind kritische Beobachter beteiligt, die für die journalistische, die publizistische und die wissenschaftliche Beurteilung der Vorgänge zuständig sind.

Wir haben das Thema zweigeteilt. Zuerst erörtern wir, was damals vor vier Jahren vereinbart und verkündet worden ist, was man erwarten konnte, was man erwartet hat und was tatsächlich eingetreten ist. Dies wird im Kern eine Bilanz sein. Wir werden dabei mit zu untersuchen haben, ob einiges oder ob Wesentliches hätte anders gemacht werden können, ob es damals und im Verlauf der vier Jahre seither wirkliche Chancen einer Alternative zu dieser Politik gab.

Im zweiten Teil unserer Diskussion wollen wir versuchen, die Perspektiven zu entwickeln, die sich aufgrund der gegebenen juristischen und politischen Situation zeigen, und die Frage aufwerfen, ob wir vielleicht eine andere Methode einschlagen müssen, als sie in diesen vier Jahren oder zu Beginn dieser vier Jahre angewandt worden ist.

Ich darf den Herrn Ministerpräsidenten bitten, einleitend zu uns zu sprechen.

Albert Osswald: Meine sehr verehrten Damen und Herren! Im 4. Hessenforum soll vier Jahre nach Kassel und Erfurt eine Bilanz der Ostpolitik gezogen werden. Ich halte dies deshalb für notwendig, weil die erste wesentliche Etappe der Osteuropa-Politik jetzt mit dem Vertrag der Bundesrepublik Deutschland und der Tschechoslowakischen Republik ihren Abschluß gefunden hat. Der Weg zur Anbahnung von Zusammenarbeit auf der Grundlage der Verträge und des Gewaltverzichts hat im wirtschaftlichen, kulturellen und im wissenschaftlichen Bereich erste beachtliche Ergebnisse aufzuweisen.

Das heutige Hessenforum betrachten wir als eine geeignete Plattform zur Diskussion aller Zusammenhänge und Aspekte, die die neue Ostpolitik uns gibt. Es ist nach meiner Ansicht vielen Bürgern noch immer nicht hinreichend bewußt, daß außenpolitische Entspannung und nicht mehr Kalter Krieg unsere derzeitige Situation kennzeichnet und daß das Bemühen um Frieden in West und Ost spürbar geworden ist.

Diese Tatsache steht in krassem Gegensatz zu den Bestrebungen interessierter Kreise, ständig von neuem die Bevölkerung zu verängstigen.

Wir leugnen nicht, meine Damen und Herren, die gegenwärtigen Schwierigkeiten in den weltwirtschaftlichen Verflechtungen, aber ich halte es für notwendig, darauf hinzuweisen, daß im Vergleich zu anderen Spannungsherden der Welt die menschliche Existenz derzeit in Mitteleuropa in einem Maße als gesichert angesehen werden kann, das frühere Generationen als einen unerfüllbaren Wunschtraum empfanden. Diejenigen unter Ihnen wissen das am besten zu beurteilen, die den Zweiten Weltkrieg miterlebt haben. Aber rund 40 Prozent unserer Bevölkerung sind nach 1945 geboren. So kann es nicht verwundern, wenn immer wieder auch um den hier heute zum Gespräch anstehenden Themenbereich unter Spekulation auf das Vergessen Diskussion aufkommt.

Unsere Aufgabe ist es, Friede und Ausgleich ständig auf der politischen Tagesordnung in der Bundesrepublik Deutschland zu halten und darüber hinaus überall dort, wo wir die Möglichkeit dazu haben, beides lebendig zu machen. Diese Überlegungen begründeten die Entscheidung der Hessischen Landesregierung für das heutige Thema »Vier Jahre nach Kassel und Erfurt — Bilanz der neuen Ostpolitik«.

Ich darf den Herren des Podiums, die sich für dieses Gespräch zur Verfügung gestellt haben, herzlich danken. Ich danke den
hier anwesenden Damen und Herren, die als Besucher ihr In-

teresse an der Ostpolitik bekunden. Ich danke vor allem Herrn Professor Kogon für die Bereitschaft, als Moderator eine — wie wir es aus den vorausgegangenen Hessenforen kennengelernt haben—sicher nicht leichte Aufgabe zu lösen.

Meine Damen und Herren, Willy Brandt ging nach Erfurt,und er kam später zu einem Gespräch mit Ministerpräsident Stoph nach Kassel in dem Bewußtsein, ohne Illusionen am Anfang eines mühevollen Weges zu stehen. Die heutige Situation zeigt uns, daß diese Einschätzung richtig war. Sie zeigt uns aber auch, daß es zu der von Brandt und Scheel eingeleiteten Politik, meiner Auffassung nach, keine Alternative gibt. Daran ändern auch die Schwierigkeiten nichts, mit denen wir uns gerade in der letzten Zeit in Zusammenhang mit der Behinderung des Berlin-Verkehrs auseinandersetzen mußten. Zeit, Geduld und zielstrebig-nüchternes Handeln werden noch lange erforderlich sein, um das Verhältnis zwischen der Bundesrepublik und den Staaten Osteuropas neu zu ordnen.

Die Verträge von Moskau und Warschau, das Viermächteabkommen über Berlin, der Verkehrsvertrag zwischen der Bundesrepublik und der DDR, der Vertrag über die Grundlagen der Beziehungen zwischen beiden deutschen Staaten und die mit den sozialistischen Ländern abgeschlossenen Verträge sind entscheidende Schritte auf dem Weg vom Gegeneinander über die Regelung des Nebeneinander zu einem Miteinander, zur Überwindung der friedensstörenden Spannungen in Europa zu kommen. Beide deutsche Staaten sind in die Pflicht genommen, eine gemeinsame friedenserhaltende Funktion zwischen West und Ost wahrzunehmen und sich dabei im Wettbewerb gegensätzlicher Gesellschaftssysteme zu begegnen.

Gerade das Land Hessen mit seiner langen Grenze zur DDR muß ein besonderes Interesse am Fortgang dieser Entwicklung haben. Unser Anliegen ist es daher, daß sich die Zustände an dieser Grenze im Rahmen des Prozesses einer weltweiten Entspannung zunehmend normalisieren, wie dies an anderen Staatsgrenzen der Fall ist.

Die neuen Initiativen in der Ostpolitik haben nicht nur eine breite politische Bewußtseinsbildung ausgelöst, sie haben auch die Gegner dieser Politik auf den Plan gerufen. Die Bemühung, auf Argumente zu hören, auch auf die der anderen, die Abklärung der gegensätzlichen Standpunkte soll deshalb im Mittelpunkt gemeinsamer Absicht stehen. Ich hoffe sehr, daß 13 dieses Podiumsgespräch über ein uns alle bewegendes Thema in einer Atmosphäre der Sachlichkeit verläuft.

Eugen Kogon: Vielen Dank, Herr Ministerpräsident, für Ihre einleitenden Worte und den guten Wunsch zum Schluß. Wir hier am Podium werden sicherlich bemüht sein, ihn zu erfüllen. Meine Damen und Herren, Herr Professor Richard Löwenthal gibt uns die systematische Einführung in das Thema.

Richard Löwenthal: Herr Vorsitzender, Herr Ministerpräsident, meine Damen und Herren!

Wenn man eine Bilanz der Ostpolitik der Bundesrepublik seit Erfurt und Kassel ziehen will, muß man zuerst einen Blick zurückwerfen auf die Situation der Bundesrepublik gegenüber dem Osten vor dem Beginn dieser Politik.

Man gewinnt den besten Zugang dazu, indem man sich klarmacht, daß die Bundesrepublik zwanzig Jahre lang in einem doppelten Konflikt mit der Sowjetunion und den Staaten des Sowjetblocks gelebt hat. Die eine Ursache des Konflikts lag im Gegensatz der Systeme: freiheitliche Demokratie und kommunistische Diktatur. Diesen Gegensatz hat die Bundesrepublik mit allen westlichen Demokratien gegenüber dem Osten gemeinsam. Die andere Ursache war der Sonderkonflikt, der sich aus Hitlers Krieg und Hitlers Niederlage ergeben hatte, aus der Teilung Deutschlands, aus den neuen Grenzen und allem, was damit zusammenhängt. In den Augen der Führer der Bundesrepublik erschienen beide Konflikte, der Konflikt um die deutsche Frage und der Gegensatz der Systeme, lange Zeit als unlösbar miteinander verbunden. Die Westmächte hatten sich im Deutschland-Vertrag, im Bündnisvertrag mit der Bundesrepublik, darauf festgelegt, sie auch in ihrem Streben zur Wiederherstellung der deutschen Einheit zu unterstützen. Dennoch stellte sich von Jahr zu Jahr deutlicher heraus, daß die beiden Konflikte etwas Verschiedenes waren: Die westlichen Verbündeten der Bundesrepublik waren nicht in derselben Weise — und zum Teil in gar keiner ernsthaften Weise — an der deutschen Frage interessiert, wie sie es an der Verteidigung ihrer und unserer Freiheit gegenüber dem östlichen System waren.

Dieser Unterschied, der von Jahr zu Jahr deutlicher wurde, hatte um so ernstere Konsequenzen, als sich Mitte der sechziger Jahre im Zeichen der Krise der NATO während des Vietnam-Krieges eine Art von Entspannungswettlauf unserer amerikanischen und französischen Verbündeten nach Moskau entwickelte. In diesem Wettlauf bemühten sie sich mehr und mehr, mit Moskau—über die Köpfe von Bonn hinweg—ins Gespräch zu kommen. Die Bundesrepublik geriet zunehmend in die Gefahr der internationalen Isolierung, in die die Sowjetunion diesen revisionistischen, revanchistischen Staat, wie sie ihn sah, zu treiben wünschte. Eine solche Entwicklung war um so ernster, als gleichzeitig mit der beginnenden Entspannung in den späteren sechziger Jahren auch die weltpolitischen Kräfteverhältnisse sich zu verschieben anfingen.

Der Druck auf neutrale Staaten, gegen den Wunsch der Bundesrepublik die DDR anzuerkennen, wurde immer stärker. Noch wichtiger: Mit dem Gleichgewicht der interkontinentalen Raketen, das sich allmählich ankündigte, wurde die Glaubwürdigkeit der amerikanischen Garantie für Berlin in schwer zu berechnender Weise verringert. Berlin konnte ja im Falle eines Angriffs, aufgrund seiner Lage, nicht mit konventionellen Mitteln verteidigt werden. In der Berlin-Krise 1962 hatte Chruschtschow westlichen Besuchern wieder und wieder gesagt, er glaube nicht, daß die USA wegen zwei Millionen Berlinern das Leben von 20 Millionen Amerikanern riskieren würden. Trotzdem wagte er nicht, die Probe aufs Exempel zu machen. Doch wurde im Zeichen des nuklearen Gleichgewichts, des Raketengleichgewichts, die Frage immer ernster.

Ich habe eine Reihe von Faktoren in Erinnerung gerufen, die die internationale Lage in der zweiten Hälfte der sechziger Jahre zuungunsten der Bundesrepublik und ihrer Ziele zu verändern begannen. Ich muß eine andere Entwicklung hinzufügen, die Sie alle aus eigener Erfahrung kennen: daß nämlich im Laufe von zwanzig Jahren permanenter öffentlicher Wiederholung unserer Wiedervereinigungsziele die tatsächlichen Kontakte zwischen den Menschen hüben und drüben, zwischen den Deutschen in der DDR und denen in der Bundesrepublik, immer geringer, die Mauern immer höher wurden, daß die Deutschen sich mehr und mehr auseinanderlebten. Die Politik der Aufrechterhaltung der internationalen Nichtanerkennung der DDR, der Quarantäne gegen die DDR, der Nichtanerkennung der Rechtlichkeit der Grenzen war an einen Punkt gekommen, wo sie nicht nur ihre Ziele nicht erreichte, sondern 15 wo sie in zunehmendem Maße Fragen der Sicherheit, der Existenzsicherheit der Bundesrepublik, selbst aufwarf.

Die Erkenntnis dieser Tatsache und die Notwendigkeit einer neuen Politik war zunächst keine Angelegenheit einer einzelnen Partei. Es ist gewiß ein wichtiges Faktum, daß die neue Ostpolitik in den Jahren der Großen Koalition vorsichtig begonnen wurde. Es war damals, daß die Bundesrepublik die Initiative ergriff, um der Sowjetunion einen Gewaltverzichtsvertrag anzubieten. Es war damals, daß die Bundesrepublik sich bereit erklärte, ohne Rücksicht auf die Hallstein-Doktrin diplomatische Beziehungen mit allen osteuropäischen Staaten aufzunehmen, die ihrerseits dazu bereit wären. Es war damals, daß die Bundesrepublik den Wunsch aussprach, mit der DDR auf jeder Ebene, auch auf hochpolitischer Ebene, nicht nur auf technischer Ebene, ins Gespräch zu kommen. Und die Tatsache, daß die Bundesrepublik diese Initiativen ergriff, hat damals schon ihre Situation in der Welt in wichtigen Punkten verbessert. Sie wurde weniger isoliert, sie wurde von ihren westlichen Freunden weniger als Hindernis der Entspannung angesehen, sie wurde mehr respektiert und gewann mehr Bewegungsfreiheit. Sie erschien vielen Millionen Menschen in Osteuropa weniger als vorher als eine Bedrohung, als die revanchistische Bedrohung, die die kommunistische Propaganda von ihr behauptete.

Die Anfangserfolge der ersten vorsichtigen Phase der neuen Ostpolitik stießen jedoch auf eine doppelte Schranke: auf die Schranke der DDR, die sich auf den Standpunkt stellte, jede Wendung in der Außenpolitik der Bundesrepublik, die nicht zur völkerrechtlichen Anerkennung der DDR führe, sei bloßer Schein, bloßer Trick der Imperialisten und müsse zurückgewiesen werden, und auf die Schranke der Sowjetunion selbst, die in der Tatsache der Verringerung der Furcht vor der Bundesrepublik in Osteuropa und in der dadurch bedingten Lockerung zu größerer Reformbereitschaft in einigen osteuropäischen Staaten eine Gefahr für den Zusammenhalt ihrer Machtsphäre sah.

Sie erinnern sich, daß diese Phase der Ostpolitik in gewissem Sinne ein Ende fand mit dem sowjetischen Einmarsch in die Tschechoslowakei. Dieser Einmarsch machte deutlich, daß die Sowjetunion entschlossen war, keinen Wandel durch Annäherung in ihrer Machtsphäre zuzulassen und keine wesentlichen Veränderungen im Zusammenhalt ihres Bündnisses und in den Systemen ihrer Bündnispartner zu dulden. Damit stand die Bundesrepublik erneut vor der Frage, wohin sie gehen sollte — vorwärts zu einem entschlosseneren Versuch des radikalen Ausgleichs mit dem Osten oder zurück in die Schützengräben des Kalten Kriegs.

In dieser Situation, meine Damen und Herren, vollzog sich eine Veränderung auf der anderen Seite, auf der sowjetischen Seite. Es war kein Wandel von innen, aber eine Veränderung der Einschätzung der internationalen Situation.

Anfang 1969 war ein neuer amerikanischer Präsident zur Macht gekommen, der bereit erschien, mit China Beziehungen herzustellen. Diese Veränderung der weltpolitischen Konstellation traf die Sowjetunion in einem Augenblick, in dem sie durch ihr rücksichtsloses Wettrüsten an Raketen- und Flottenmacht, durch den Aufbau ihrer neuen Machtsphäre im Nahen Osten und durch das Aufrechterhalten ihrer Besatzung in Osteuropa in ein immer stärkeres Überengagement der eigenen Kräfte zu kommen drohte. Die Sowjetunion mußte sich fragen, ob nicht auch sie an einer Befriedung in Europa interessiert sei, sogar dringend interessiert sei, wenn sie die Befriedung unter den Bedingungen einer gewissen Konsolidierung ihrer Machtsphäre haben könnte.

Im Frühjahr 1969 begann sie eine neue Haltung zu signalisieren. Sie gab zu verstehen, daß sie nicht mehr als unmittelbares Ziel die sogenannte Auflösung der Militärblöcke in Europa verfolge, sondern zunächst eine europäische Sicherheitskonferenz, zu der die Regierungen aus Ost und West als Mitglieder ihrer Bündnisse kommen konnten. Sie begann, was für uns wichtiger war, ihre Forderungen auf Anerkennung der DDR und der Oder-Neiße-Grenze, auf Anerkennung von Berlin als selbständiger politischer Einheit nicht mehr als Vorbedingung einer ernsthaften Verhandlung mit der Bundesrepublik zu stellen, sondern statt dessen zu verstehen zu geben, daß dies Verhandlungsziele seien. Und wenn es nicht Vorbedingungen, sondern Verhandlungsziele waren, dann hieß das ja, daß im Laufe von Verhandlungen die Bundesrepublik ihre Gegenbedingungen stellen könnte.

Damit entstand eine Lage, in der die verantwortlichen Politiker der Bundesrepublik sich fragen mußten, ob sie bereit wären, von der Gelegenheit Gebrauch zu machen. Es war im Kern eine schwere und doch gedanklich einfache Frage, die da zu beantworten war: die Frage, ob die Bundesrepublik bereit war, die Normalisierung ihrer Beziehungen zum Osten durch die Hinnahme eines Modus vivendi auf der Basis der Status quo, also auf der Basis der bestehenden Teilung Deutschlands und der Oder-Neiße-Grenze, herbeizuführen und dafür die Hinnahme des Status quo Berlins, seine Sicherheit unter internationaler Garantie durch die Sowjetunion und die DDR einzutauschen.

Es war klar, daß kein Politiker der Bundesrepublik auf das Grundrecht aller Deutschen auf Selbstbestimmung verzichten würde. Kein verantwortlicher Politiker würde darüber vergessen, daß die DDR nicht durch Selbstbestimmung entstanden war, und den Gedanken nie aufgeben, diese Forderung des Rechts auf Selbstbestimmung, das die Deutschen drüben verloren hatten, zu betonen. Aber es war ein Unterschied, ob man dies zum Anlaß nahm, zu versuchen, die DDR aus der Gemeinschaft der Staaten herauszuhalten, oder ob man bereit war, unter jenem Vorbehalt normale Beziehungen mit der DDR herzustellen und ihr normale Beziehungen mit der übrigen Welt zu ermöglichen. Das war die Kernfrage, um die es bei der Entscheidung von 1969 ging.

Sie wissen, daß die Koalition von 1969, die sozial-liberale Koalition, wesentlich an dieser Entscheidung zustande gekommen und an die Macht gelangt ist. Das Konzept, mit dem die zweite, entscheidende Phase der neuen Ostpolitik begann, war, den Sonderkonflikt zwischen der Bundesrepublik und den Staaten der Sowjetunion, des Sowjetblocks zu liquidieren, soweit es rechtlich möglich war. Als Gegenleistung für die Hinnahme des osteuropäischen und ostdeutschen Status quo galt es, die Sicherung des Status quo von Westberlin auszuhandeln. Das bedeutete eine Aufgabe, die die Bundesrepublik nicht allein, sondern nur in enger Zusammenarbeit mit ihren westlichen Verbündeten lösen konnte. Es bedeutete auch, daß die Bundesrepublik sich damit zum ersten Mal in die Ost-West-Entspannung im ganzen, in die große Entwicklung der Beziehungen zwischen den NATO-Mächten und den Sowjet-Blockstaaten, einschalten konnte und daß insbesondere die Sicherung des Status von Berlin nur auf der Basis von Viermächte-Verhandlungen möglich war. Es bedeutete schließlich, daß man eine solche Politik der Liquidierung von Sonderkonflikten mit dem Osten und der Sicherung Berlins durch neue Abkommen durch den Versuch ergänzen konnte und ergänzen mußte, auf solcher Grundlage das Verhältnis zur DDR selbst neu zu ordnen. Die Normalisierung der Beziehungen zum anderen deutschen Staat mußte genutzt werden, um die Tendenz des Auseinanderlebens der Menschen in beiden Teilen Deutschlands endlich anzuhalten und soweit wie möglich umzukehren.

Erfurt und Kassel, die im Thema des heutigen Abends vorkommen, waren die beiden ersten Versuche, den direkten Dialog mit der DDR auf der Ebene der Regierungsspitze aufzunehmen. Sie wissen, daß diese Versuche zunächst nicht zu positiven Ergebnissen geführt haben. Was sich herausstellte, war nicht nur, daß die Führung der DDR vor einer neuen Annäherung der beiden Deutschland, vor einer Verbesserung der Kontakte zwischen den Menschen Furcht hatte, sondern auch, daß die DDR unter keinen Umständen in ernste Verhandlungen eintreten wollte, bevor sie nicht völkerrechtlich anerkannt wurde. Dieses Hindernis war nicht in Verhandlungen mit der DDR zu überwinden, es war nur in Verhandlungen mit der Sowjetunion selbst zu überwinden. Aber auf der anderen Seite war es so, daß die Sowjetunion als eines der wesentlichen Verhandlungsziele, wenn nicht mehr die völkerrechtliche Anerkennung der DDR durch die Bundesrepublik, so doch die Freigabe der Anerkennung der DDR für die anderen westlichen Staaten, die Zulassung der DDR zu den Vereinten Nationen forderte.

Damit ergab sich für die Bundesrepublik bei der Durchführung ihrer neuen Politik eine außerordentlich komplizierte Lage. Denn eine internationale Anerkennung der DDR mußte heißen, daß die DDR als souveräne Macht auf den Zugangswegen zu Berlin anerkannt würde, es sei denn, die DDR würde schon vorher an ein Berlin-Statut gebunden.

So zeigte sich, daß alle Fragen der Ostpolitik miteinander unlöslich verschränkt waren. Man konnte mit der DDR oder mit Polen nicht weiterkommen, ohne sich zuerst mit der Sowjetunion zu einigen. Man konnte mit der Sowjetunion sich nicht einigen, ohne grundsätzliche Konzessionen in der Frage der internationalen Anerkennung der DDR zu machen. Man konnte die DDR nicht zur internationalen Anerkennung freigeben, ohne das Berlin-Statut gesichert zu haben. Und man konnte die Zustimmung der Sowjetunion zur Sicherung des Berlin-Statuts nicht erhalten, wenn die Sowjetunion nicht wußte, daß sie Zug um Zug die Freigabe der internationalen Anerkennung der DDR erhalten würde. Das war es, was die Verhandlungen so außerordentlich komplizierte und die Bundesregierung zwang, sie alle mehr oder minder gleichzeitig in Gang zu setzen. Sie werden sich an die Vorwürfe erinnern, die Regierung Brandt / Scheel habe die neue Ostpolitik zwar mit richtigen Absichten, aber mit einer unzulässigen Eile, mit einer unzulässigen Hektik begonnen. Die das sagten, übersahen die notwendige Verschränktheit aller Verhandlungsoperationen, die Notwendigkeit, alle gleichzeitig in Gang zu bringen.

Meine Damen und Herren, es ist nicht meine Aufgabe, Ihnen am Beginn der Diskussion des heutigen Abends die Geschichte des Verhandlungsverlaufs darzustellen. Worauf es für uns heute abend ankommt, das sind die wesentlichen Ergebnisse. Und das wesentliche Ergebnis ist, daß dieses verwickelte und verschränkte Verhandlungsprogramm durchgeführt worden ist. Wir haben als Ergebnis einmal den Moskauer Vertrag und den Warschauer Vertrag, den Modus vivendi auf der Basis des Status quo. Wir haben als Ergebnis auf der anderen Seite das Viermächte-Abkommen über Berlin. Lassen Sie mich ein Wort über die Bedeutung dieses Ergebnisses sagen.

Ich lebe in Berlin und lese, wie Sie auch, alle paar Wochen, manchmal alle paar Tage in den Zeitungen von Ärgernissen im Zusammenhang mit den Zugangswegen zu Berlin, im Zusammenhang mit sowjetischen Protesten gegen das Umweltbundesamt und dergleichen mehr. Aber wenn man die Situation in Berlin und um Berlin nicht mit dem vergleicht, was wir alle für wünschenswert und für rechtens halten, sondern mit den Verhältnissen vor dem Viermächte-Abkommen, so ist das ein Unterschied wie zwischen Tag und Nacht. Wir haben mit dem Berlin-Abkommen das freie Recht der Berliner erreicht, die Transitwege zu benutzen — dies in solchem Maße, daß Millionen und Abermillionen Berliner davon laufend Gebrauch machen. Die Zwischenfälle, die noch vorkommen, sind heute Randerscheinungen und Nadelstiche. Wir sind international, auch durch die Sowjetunion und durch die DDR, anerkannt in der rechtlichen, finanziellen, wirtschaftlichen und politischen Bindung Westberlins an die Bundesrepublik. Und die Bundesrepublik hat das Recht, die Berliner im Ausland, auch im östlichen Ausland, zu vertreten. Darüber hinaus haben große Veränderungen in der Beziehung zwischen den beiden deutschen Staaten selbst stattgefunden.

Ich habe vorhin vom Scheitern von Erfurt und Kassel gesprochen. Aber nach dem Moskauer Vertrag zeigte sich, daß die DDR die Denkpause genutzt hatte und nunmehr bereit war, ohne völkerrechtliche Anerkennung durch die Bundesrepublik zu verhandeln. Sie wissen, daß daraus der Verkehrsvertrag und der Grundlagenvertrag entstanden sind. Das sind Verträge, die viele Mängel haben, deren Durchführung und deren Folgeverträge nur langsam vorangehen, die aber doch die Bedeutung haben, daß nunmehr zum ersten Mal seit vielen Jahren die Anzahl der Besucher aus der Bundesrepublik in die DDR über eine Million und zeitweise über zwei Millionen gestiegen ist. Das ist der Beginn einer Umkehrung des Auseinanderlebens, das ist der Beginn einer Politik der Erhaltung der nationalen Substanz der Deutschen.

Meine Damen und Herren, die Ostpolitik ist auch Weltpolitik. Weltpolitisch bedeutet der Komplex der Verträge, von denen ich eben gesprochen habe, etwas ganz Einfaches: Mitteleuropa, das die Kernzone, der Brennpunkt des Kalten Krieges war, hat aufgehört, eines der Hauptspannungszentren der Weltpolitik zu sein. Damit haben die Spannungen in der Weltpolitik nicht aufgehört. Auch die amerikanische Entspannung hat die russisch-amerikanischen Gegensätze nicht beseitigt. Die Rüstungsprobleme sind ungelöst, die Nahost-Probleme sind ungelöst, und die Lösung unserer Probleme ist unvollständig, immer wieder Schwierigkeiten unterworfen. Aber ein Brennpunkt des Konflikts ist Deutschland, ist Mitteleuropa, ist Berlin nicht mehr. Das ist das zentrale, das alles andere überdachende Ergebnis der neuen Ostpolitik.

Was bedeutet das für die Zukunft? Es bedeutet nicht, daß wir nun weitergehen und Ostbeziehungen anstelle unserer westlichen Beziehungen entwickeln. Es ging uns darum, einen Sonderkonflikt mit dem Osten zu bereinigen. Es ging nie darum und konnte nie darum gehen, Sonderbeziehungen mit dem Osten herzustellen. Normale Beziehungen, Sicherheit durch Normalisierung waren das Ziel. In dem Ausmaß, in dem das erreicht ist, ist die Aufgabe einer besonderen deutschen Ostpolitik weitgehend gelöst. Was bleibt, das ordnet sich ein in die allgemeine Ostpolitik des Westens — eine Politik, die gekennzeichnet ist durch das doppelte Ziel, einmal die Sicherheit des 21

Westens durch Machtgleichgewicht aufrechtzuerhalten und zum anderen das Niveau, auf dem dieses Machtgleichgewicht nötig ist, durch Entspannungsbemühungen soweit wie möglich zu senken. Beitrag zur Entspannung einerseits, zum Machtgleichgewicht andererseits, das ist die Ostpolitik der Bundesrepublik im Rahmen der westlichen Gesamtpolitik.

Daneben gehen unsere besonderen Bemühungen weiter um die Verbesserung und den Ausbau der Kontakte zwischen den Menschen hüben und drüben. Das ist weiterhin der schwierigste Teil der Ostpolitik. Denn hier stoßen wir auf den Widerstand eines Staates, der DDR, der eine zu weitgehende Entwicklung der Kontakte als eine Gefährdung für seine innere Festigkeit ansieht und der sich darum bemüht, solche Kontakte zu erschweren, sie so teuer wie möglich zu machen. Aber das bedeutet nicht, daß wir hier resignieren müssen. Wir haben zwanzig Jahre lang keine Fortschritte erreicht, jetzt haben wir die ersten Fortschritte gemacht; wir brauchen nicht zu resignieren, weil die Fortschritte noch unbefriedigend sind.

Vier Jahre der Politik der Liquidierung des Sonderkonflikts, vier Jahre seit Erfurt und Kassel, das bedeutet ein Ergebnis, das sicher nicht Hoffnungen auf einen radikalen Wandel der anderen Seite entspricht, ist aber doch ein Ergebnis, das vom Standpunkt des Friedens, vom Standpunkt unserer Sicherheit und vom Standpunkt der Beziehungen zwischen den deutschen Menschen sich sehen lassen kann. (Anhaltender Beifall.)

Eugen Kogon: Ich danke Herrn Professor Löwenthal sehr für seine einführende Darlegung.

Meine Damen und Herren, man kann eine Analyse der vier Jahre von 1970 bis jetzt und der Ausgangssituation vor diesen vier Jahren nicht geben, ohne gleichzeitig Wertungen vorzunehmen. Diese Einführung wird also schon Gegenstand der Erörterung hier am Podium sein. Wir haben den Text alle nicht gekannt, Herr Löwenthal hat frei gesprochen. Nun wird Herr Lummer, Vorsitzender der CDU-Fraktion im Berliner Abgeordnetenhaus, Stellung dazu nehmen — ohne gleich ein Gegenreferat zu halten, nicht wahr? Es wird sich, so denke ich, um »gegenkritische« Bemerkungen handeln.

Aber bevor das geschieht, möchte ich mit den Diskussionsteilnehmern hier am Podium bekanntmachen. Sie sehen links am Ende des Tisches Herrn Minister Bahr, allen wohlbekannt.

(Starker Beifall.) Nach diesem herzlichen Beifall, meine Damen und Herren, möchte ich Sie davon dispensieren, jedesmal jetzt Beifall geben zu müssen — den dann womöglich abgeschwächt ... An der Seite von Herrn Bahr Dr. Gillessen von der Frankfurter Allgemeinen Zeitung. (Gleichwohl Beifall.) Dann Professor Richard Löwenthal und hier, neben mir, Herr Lummer. (Beifall.) Zu meiner Rechten Herr Mischnick, Vorsitzender der FDP-Fraktion im Bundestag. (Beifall.) An seiner Seite Dr. Jean-Paul Picaper von »Le Monde« (Beifall), Korrespondent in Berlin, der einzige ausländische Journalist, den wir gebeten haben, hier bei uns am Podium an der Diskussion teilzunehmen, weil Frankreich, sozusagen im Wettbewerb mit den USA, die neue Entspannungspolitik nach Osten hin initiiert hat. Dann der Platz des Regierenden Bürgermeisters von Berlin, Herr Schütz, dessen Eintreffen wir jede Minute erwarten. Es schließt sich an Dr. Theo Sommer, Chefredakteur der ZEIT, Hamburg. (Beifall.) Schließlich Herr von Wrangel, Vorsitzender des Bundestagsausschusses für die innerdeutschen Beziehungen und für die besonderen Beziehungen zu Berlin. Ihn erwarten wir ebenfalls noch.

Herr Lummer, nun sind Sie also in einer etwas schwierigen Situation: Die Neigung, ein Gegenreferat zu halten, ist sicherlich groß. Wäre es nicht trotzdem denkbar, daß Sie uns sozusagen in einer Generallinie bezeichnen, wie Sie zu dem stehen, was Herr Löwenthal ausgeführt hat, und dann Punkte nennen, in denen Sie vielleicht nicht übereinstimmen. Erfreulich wäre es, wenn Sie uns auch sagen würden, wo Sie übereinstimmen. Wir würden diese Punkte dann mit Ihrer Beteiligung zum Gegenstand der Diskussion machen.

Heinrich Lummer: Meine Damen und Herren, es ist in der Tat eine nicht ganz einfache Situation für mich. Aber ich glaube, wir sollten den Versuch machen, damit fertig zu werden.

Wenn wir vier Jahre nach Erfurt und Kassel heute über ostpolitische Fragen diskutieren, dann scheint mir ein Stück Distanz vorhanden zu sein, das es sicherlich ermöglicht, in mehr Sachlichkeit, als es damals in der aktuellen politischen Situation möglich war, die Frage nach der Bilanz zu beantworten. Es sind im Laufe dieser Zeit die Gegensätze nicht aufgehoben worden, aber es ist sicher manche aktuelle Spitze abgebrochen worden. Meine Aufgabe wird es sein zu zeigen, wo Gemeinsamkeiten vorhanden sind, aber auch deutlich zu machen, wo die Meinungsverschiedenheiten geblieben sind.

Einigkeit hat seit Beginn der sechziger Jahre darüber bestanden, daß eine Vertragspolitik, das heißt eine Politik betrieben werden müsse, die nicht ausschließt, Verträge mit den osteuropäischen Ländern einschließlich der Sowjetunion zu schließen. Diese Politik wurde eingeleitet, als Gerhard Schröder Außenminister war, mit dem Austausch der Handelsmission unter der Regierung Erhard; also nicht erst in der Großen Koalition. Gleichwohl blieben Unterschiede. Die fünfziger Jahre allerdings, in denen der Konsens aller Parteien gegeben gewesen war, eine Nichtanerkennung der DDR sei Wesensmerkmal deutscher Ostpolitik, diese fünfziger Jahre waren vergangen.

Der Konflikt beginnt dort, wo es um den Inhalt der Verträge geht. Ich will dabei jetzt nicht die schwierige Frage aufgreifen, ob die Bestimmungen nur Gewaltverzichtsvereinbarungen sind oder mehr, ob sich etwa eine spezifische sowjetische Auffassung von Gewaltverzicht durchgesetzt hat, die darauf basiert, daß man mit der Sowjetunion nur Gewaltverzichtsvereinbarungen treffen kann, wenn gleichzeitig die Anerkennung des Status quo inbegriffen ist, weil die Sowjetunion von jener Fehlhypothese ausgegangen war und immer noch ausgeht, man könne bestehende Zustände nur mit Gewalt ändern, weshalb der, der mit ihr einen Gewaltverzichtsvertrag schließt, auch den Status quo anerkennen müsse.

Natürlich ist es wichtig und bedeutsam, Herr Löwenthal, all das, was hier geschehen ist, in einen historischen Rahmen einzuordnen. Für mich stellt sich zunächst aber einmal die Frage nach Leistung und Gegenleistung. Die Frage ist belastet von einem Merkmal in der Ostpolitik, das alle Parteien getroffen hätte, mit dem sich alle hätten auseinandersetzen müssen: Das Geschäft, um das es ging, war die Anerkennung des Status quo in dieser oder in jener Variante. Das heißt, eine Anerkennung, von der man, wenn sie erfolgt, wissen mußte, daß sie nicht revidierbar ist. Einmal gegeben — vorbei. Die Gegenleistung, die wir haben wollten, war eine Reihe von menschlichen Erleichterungen, Dinge, von denen man wissen mußte, daß, wenn die Sowjetunion oder Ostberlin solche Leistungen geben, sie die Vereinbarungen jederzeit wieder revidieren können, auch durch mögliche Vertragsbrüche. Das war das andere Merkmal, die grundsätzliche Revisionsfähigkeit und Revidierbarkeit der Leistungen der anderen Seite. Daraus ergibt sich die äußerst schwierige Position: Wenn wir zu einem Kompromiß kommen wollten, mußten wir die Gefahr wittern, daß die andere Seite eines Tages Leistungen zurücknimmt, Pressionen ausübt oder von uns neue Preise verlangt. Diese Gefahr konnte niemand ausschließen, aber sie verlangte, da sie erkennbar war, nach meinem Dafürhalten von den deutschen Verhandlungspartnern, mit einem Höchstmaß an Präzision zu verhandeln und jede Vereinbarung, um es in der Sprache von Herrn Bahr zu sagen, »wasserdicht« zu machen.

Heute ist, wie mir scheint, für jedermann feststellbar, dies kann nicht mehr ernsthaft bestritten werden, daß die getroffenen Vereinbarungen das enthalten, was manche »graue Zonen« nennen, ambivalente Formulierungen, dilatorische Formelkompromisse, jedenfalls Passagen, die nicht eindeutig interpretierbar sind und die von vornherein geeignet waren, neue Konflikte hervorzurufen, die der anderen Seite die Möglichkeit gaben, ihre Leistungen ganz oder teilweise zurückzunehmen und Pressionen auszuüben. Wir haben das in den letzten Wochen gerade in Berlin erlebt. Es gab die Erhöhung des Zwangsumtausches, damit eine Einschränkung der Kontakte — die Gräben sind wieder ein wenig tiefer geworden —, die Kontrollen auf den Zugangswegen. Es gab ein Bestreiken des Ausbaues der Bindungen. Und es gab, was die Polen anbetrifft, eine Rücknahme ihrer Bereitschaft, die Aussiedlerfrage großzügig zu regeln. Es gibt die Auseinandersetzungen um Teilfragen des Flugverkehrs. Und vieles andere mehr. Die andere Seite ist in der gegenwärtigen Situation darum bemüht, ihre Vertragsinterpretation durchzusetzen, und das Bedauerliche ist, daß manche Passage der deutschen und alliierten Vereinbarungen dafür Ansatzpunkte bietet.

Meine Kritik an dieser Stelle ist die, daß die Vereinbarungen nicht mit größter Präzision ausgehandelt wurden. Das hätte sicher länger gedauert — insofern bleibt meine Kritik der Eilfertigkeit aufrechterhalten. Niemand wird Herrn Bahr bestreiten, daß er wichtige Verträge in größtmöglicher Schnelligkeit durchgeführt und durchgesetzt hat, aber ich kann ihm nicht nachsagen, daß sie in größtmöglicher Präzision durchgesetzt worden wären.

Das ist also die eine schwierige Situation: im Grundansatz ein Kompromiß, wie es gelegentlich in der Fachliteratur gesagt wird, mit inkommensurablen Gütern, wobei die Leistung der anderen Seite sich dadurch auszeichnet, daß sie revidierfähig ist und Anlaß für Pressionen geben kann. Größtmögliche Präzision hat nicht stattgefunden.

Eugen Kogon: Eine Zwischenfrage, Herr Bahr? Bitte.

Egon Bahr: Herr Lummer, darf ich mal fragen, wie Sie die Gegenleistungen »wasserdicht« gemacht hätten, wenn Sie unterstellen, daß die andere Seite sie brechen kann?

Heinrich Lummer: Um ein Beispiel zu nennen, Herr Bahr: Ich kann mich sehr genau an eine Diskussion im Berliner Abgeordnetenhaus erinnern, die vor der Unterzeichnung der Besuchsregelung stattgefunden hat. Ich habe damals sehr deutlich darauf aufmerksam gemacht, daß die Frage des Zwangsumtausches im Grunde so geregelt ist, daß die andere Seite die Möglichkeit hat zu sagen, dies sei eine innere Angelegenheit der DDR. Später haben der Regierende Bürgermeister und der Senat von Berlin Position bezogen und gesagt, dies sei eine Geschichte, die gewissermaßen zur Vertragsbasis, zur Geschäftsgrundlage gehört. Dies ist nicht mit hinlänglicher Deutlichkeit in die Vereinbarung eingegangen.

Egon Bahr: Bei der Umtauschgeschichte gebe ich Ihnen im Prinzip recht, wenngleich mit der Einschränkung, daß ich Sie bitte zu berücksichtigen, daß die Quoten, die erforderlich sind, um die Zugangswege, also die Transitwege, zu benutzen, aus diesem Grunde pauschal bezahlt werden. Und zwar werden sie aufgrund einer Vereinbarung gezahlt, die nicht einfach verändert werden kann. Dazu war die DDR in bezug auf den Besucherverkehr in die DDR eben nicht bereit.

Heinrich Lummer: Wir können verständlicherweise jetzt keine Vertiefung dieser Einzelfragen durchführen. Ich glaube, es ist zweckmäßiger, wenn wir es später tun. Dies war nur ein Beispiel; es gibt andere Beispiele, die man zu nennen vermag.
Wenn man die Situation, so wie ich sie darzustellen versuchte, zur Kenntnis nimmt, dann taucht natürlich ein gravierendes Problem auf: Die Leistung von unserer Seite ist eine mittel-

und längerfristige Respektierung und Anerkennung des Status

quo, die Gegenleistung sollte vor allen Dingen etwas sein, was Berlin bekommt. Meine Forderung war und ist die, daß die Dauerhaftigkeit in der Berlin-Regelung genauso sein müßte. Und zwar deshalb, weil die Sowjetunion wahrscheinlich, dies mußte man sehen, die Möglichkeit ausschöpfen würde, ihre Machtposition auszunutzen und auszubauen und das Gleichgewicht zu verändern, um dann den Pressionsspielraum in Anspruch zu nehmen.

Anzeichen für diese Entwicklung gibt es jetzt, wenn man den militärischen Sektor betrachtet. Die Sowjetunion bemüht sich darum, und dies scheint mir auch der Grund dafür zu sein, daß sie in Wien bei den Gesprächen relativ zögert, das Gleichgewicht zu verschieben. Insofern ist es eine wichtige Voraussetzung, wenn man diese Politik erhalten und sichern will, Gleichgewichtspolitik konsequent und entschieden von westlicher Seite aus zu betreiben.

Eugen Kogon: Darf ich eine Frage stellen, Herr Lummer? Sie sagten eben, daß der Vorteil nur für Berlin ...
(Klaus Schütz betritt das Podium, starker Beifall.)
... daß der Vorteil für Berlin zumindest das Wesentliche gewesen sei. Ist die Änderung des Bildes von der Bundesrepublik als eines revanchistischen Staates, wie Richard Löwenthal es hervorgehoben hat, nicht auch ein Vorteil aus diesen Verträgen?

Heinrich Lummer: Sicherlich ist es ein Vorteil, aber hier handelt es sich um eine atmosphärische Angelegenheit. Wir wissen doch genau, daß das Bild der Bundesrepublik vorher von der anderen Seite verzeichnet worden war, und wir müssen wissen, daß es bei Bedarf wieder verzeichnet werden wird. Erinnern Sie sich doch nur einmal der Protokolle hier in Kassel, der Ausführungen von Herrn Stoph, dann werden Sie ein wenig davon spüren, wie leicht dies möglich ist. Deshalb komme ich zu dem Ergebnis, daß in der Tat die wesentliche Erleichterung für Berlin eingetreten ist und daß dort der Kern der Gegenleistung zu suchen ist. Ich habe nicht gesagt nur Berlin hat etwas davon profitiert, aber dort ist der entscheidende Angelpunkt für unsere Politik zu suchen.

Es gibt etwas anderes, was jetzt nach vier Jahren dieser Ostpolitik deutlich wird. Es besteht darin, daß sie jetzt gewissermaßen in eine Phase der Ernüchterung eingetreten ist. Ein ganzes

Stück Euphorie ist abhanden gekommen. Das ist gut so. Aber man muß auf der anderen Seite sehen, daß diese Politik zunächst einmal vor vier Jahren sehr häufig so vertreten wurde, indem man den Menschen aus   beiden   Teilen Deutschlands große Hoffnungen gemacht hat. Der Regierende Bürgermeister ist nun da, und deshalb kann ich's hier sagen. Er hat seinerzeit zum Beispiel die Bemerkung gemacht, die sicherlich von ihm heute — nehme ich jedenfalls an — nicht mehr aufrechterhalten wird ..., wenn ich ihn zitieren darf: »Damit ist das, was wir für Westberlin haben wollten, erreicht, die Basis unserer Existenz, die man uns von 1948 bis 1970 zu entziehen versuchte, ist nicht mehr in Frage gestellt. Die Zeit der Drohungen und Bedrohungen, der Nadelstiche und der Salamitaktik, der Erschütterungen und der Krisen ist, nach menschlichem Ermessen, zu Ende.« (Beifall.) Nach menschlichem Ermessen mußte man davon ausgehen, daß die Zeit der Nadelstiche nicht vorbei sein würde — und Professor Löwenthal hat zu Recht darauf hingewiesen, daß die andere Seite eine solche Politik fortsetzt.

Klaus Schütz: Aber die Zeit der Krisen und Bedrohungen   ist vorbei ...

Heinrich Lummer: Die Zeit der Krisen und Bedrohungen alten Stils, um mit den Worten des Regierenden Bürgermeisters zu reden, ist vorbei. Dies bestreitet niemand. Aber es wird deutlich, daß die andere Seite ihre Zielsetzungen, die sie auch damit charakterisiert hat, daß sie von der selbständigen politischen Einheit sprach   oder vielleicht von der Inkorporation Berlins in den Bereich der DDR, offenkundig nicht aufgegeben hat. Bei passender Gelegenheit erinnert sie sich daran und macht uns mit Hilfe einer Nadelstichpolitik Schwierigkeiten.
Ich will nur sagen, daß es damals manche Fehleinschätzung gegeben hat, die sich gerade in Berlin, dessen Schicksal ja weitgehend von der politisch-psychologischen Situation abhängt, niederschlägt. Mag es auch komisch klingen, es ist die Wahrheit: Das Stimmungsbild der Berliner hat sich im Vergleich zur Zeit von vor 1972 in den letzten eineinhalb Jahren sehr ungünstig verändert. Das liegt einfach daran, daß man bewußt den Menschen größere Hoffnungen und Erwartungen suggeriert hatte, als man später zu erfüllen in der Lage war. Dies ist ein Kriterium, das ich hier nicht auslassen wollte.

Eugen Kogon: Wäre hier nicht der Moment gekommen, daß Herr Bahr Stellung nehmen sollte?

Egon Bahr: Darf ich mit dem letzten Punkt anfangen, nämlich mit der Euphorie. Ich habe zuweilen auch geglaubt, daß wir ungeheure Hoffnungen geweckt hätten. Ich habe mir heute nachmittag noch einmal durchgelesen, was gesagt worden ist nach Abschluß des Moskauer Vertrages und nach Abschluß des Grundlagenvertrages, um mich selbst zu überprüfen, was eigentlich an Hoffnungen und an Euphorie geweckt worden ist.

Der damalige Bundeskanzler hat aus Moskau am 12. August gesagt, was seine Hoffnungen sind: »Der Vertrag ist ein entscheidender Schritt, um unsere Beziehungen zur Sowjetunion und zu unseren östlichen Nachbarn zu verbessern. Es entspricht dem Interesse des ganzen deutschen Volkes, die Beziehungen gerade zur Sowjetunion zu verbessern.« Dann hat er, zurückgekehrt nach Bonn, erklärt: »Ich hoffe, daß auch der Krieg mit Worten nun zu Ende geht. Es gehört zu den Leistungen der Sowjetunion uns gegenüber, die insoweit nur sie allein erbringen konnte, daß für alle Streitfragen, welcher Art sie auch sein mögen, Gewaltanwendung oder Gewaltandrohung ausscheiden.«

Der Vertrag wird niemandem schaden, er kann vielen nützen, er muß es nicht.

Und dann nennt Willy Brandt vier Punkte:

1. »Der Vertrag wird die Verhandlungen der vier Mächte für eine befriedigende Regelung in und um Berlin fördern.« Stimmt!

2. »Niemand hat uns zugemutet, worauf wir uns auch nicht eingelassen hätten, unser Verhältnis zum Atlantischen Bündnis oder zur EWG zu verändern.«

3. »Nach dem Vertrag mit der Sowjetunion wird es wahrscheinlich leichter sein, auch mit den anderen Partnern des Warschauer Paktes zu normalen Beziehungen zu gelangen.«

Und 4. »Unsere Bemühungen um Entspannung und Friedenssicherung und um Normalisierung der gegenseitigen Beziehungen gelten bekanntlich nicht zuletzt gegenüber der DDR, eine Entspannung Mitteleuropas ist anders nicht denkbar. Wir betrachten unsere in Kassel vorgelegten 20 Punkte immer noch als Basis.«

29

Das ist nicht so schrecklich euphorisch. Und beim Abschluß des Grundlagenvertrages am 21. Dezember 1972 habe ich im Hause des Ministerrats der DDR gesagt: »Niemand darf glauben, daß nach so vielen Jahren der Verkrustung, ja der Feindseligkeit, die Entwicklung der Beziehungen reibungslos erfolgen kann. Es wird Schwierigkeiten und es wird Ärger geben. Es wird Zeit, Geduld und guter Wille auf beiden Seiten nötig sein, damit der abgesteckte Weg auch genutzt wird.«

Und eine Reihe von Journalisten haben mich gefragt, warum ich denn einen so pessimistischen Ausblick gebe, nachdem gerade dieser Vertrag unterschrieben worden ist. Der damalige belgische Premierminister zum Beispiel hat — nicht ohne Sorgen — gefragt, ob es denn, wenn der Vertrag zwischen den beiden deutschen Staaten unterschrieben wird, vielleicht gar zu einer Bewegung der beiden Staaten aufeinander zu komme. Dem habe ich in fester Überzeugung entgegnet: »Bisher hat es zwischen der Bundesrepublik Deutschland und der DDR keine Beziehungen gegeben, künftig wird es schlechte geben.«

Dies ist der Fortschritt, und wir werden noch lange durch die schlechten Beziehungen gehen müssen, ehe wir zu besseren kommen. Trotzdem sage ich, daß für mich die Bilanz, natürlich, nicht nur positiv ist.

Aber bevor ich zu den Negativa komme, darf ich noch einen Punkt aufgreifen, den Herr Lummer gesagt hat. Ich hoffe, Herr Lummer, daß Sie noch fortfahren, Punkte aufzuzählen, in denen wir einig sind.

Manchmal hat man natürlich den Eindruck, Herr von Wrangel ...

(Herr von Wrangel ist mittlerweile ebenfalls eingetroffen und hat unauffällig Platz genommen.)

... als ob einige bei Ihnen bezweifelten, daß man überhaupt sinnvollerweise mit kommunistischen Staaten Verträge schließen kann. Aber ich halte mit Freuden fest, daß Herr Lummer der Auffassung ist, daß wir darin einig sind, Verträge mit kommunistischen Staaten sollte es geben, müsse es geben, können also geschlossen werden. Ich hoffe, wie gesagt, dies ist nicht der einzige Punkt der Einigkeit.

Daß die Verträge ambivalent sind, nicht eindeutig interpretierbar sind, das gilt natürlich insbesondere für das Viermächte-Abkommen. Die anderen Verträge sind eigentlich ziemlich klar. Der Moskauer Vertrag ist klar, der polnische Vertrag ist klar, das Transit-Abkommen ist ein Interpretationsabkommen des Viermächte-Abkommens.

Aber das Viermächte-Abkommen ist ein Rahmenabkommen. Es liegt nun einmal im Charakter eines Rahmenabkommens, daß es nur einen Rahmen setzt und nicht jedes Detail ausfüllt. Es geht gar nicht anders. Denn natürlich haben wir zusammen mit den drei Mächten überlegt, ob man nicht den Versuch machen sollte, das Viermächte-Abkommen so zu entwickeln, daß es für jeden denkbaren Fall mit einer gewissen Automatik funktioniert. Aber das Ergebnis war, daß man sich gesagt hat: um Gottes willen, nein.

Sie haben recht, wenn Sie von der Dauerhaftigkeit sprechen. Der Dauerhaftigkeit ist Rechnung getragen worden, indem das Berlin-Abkommen unkündbar ist, genauso wie der Grundlagenvertrag unkündbar ist, genauso wie der Moskauer Vertrag keine Laufzeit hat. Wir waren uns völlig darüber einig mit den drei Mächten, daß es menschenunmöglich ist, sich alles auszudenken, was es in zehn, in fünfzehn, in zwanzig Jahren geben kann, wo sich die Welt verändert. Wenn ich anfinge, aufzulisten und einen Punkt ausließe, weil ich ihn mir heute nicht vorstellen kann, dann wäre das später ein Punkt, an dem andere kämen und tadelnd sagten, das sei im Vertrag nicht vorgesehen.

Das Viermächte-Abkommen ist ein umfassendes Rahmenabkommen, es ist flexibel und gestattet, jeder praktischen Frage gerecht zu werden. Der Einwand ist richtig: Das Viermächte-Abkommen gibt keine Garantie dafür, daß nicht auch Streit entstehen kann. Dies liegt im Kern jeder Übereinkunft zwischen Ost und West. Wenn man den Streit ausschließen will, hört die Politik auf.

Heinrich Lummer: Herr Bahr, es geht doch nicht darum, den Streit auszuschließen. Schauen Sie doch, was zum Beispiel im Transitverkehr geschehen ist. Da gab es Probleme im Januar, und es gab sie jetzt vor einigen Wochen. Die andere Seite hat — nach übereinstimmender Auffassung von uns allen — Verträge gebrochen. Und was geschieht nach dem Vertragsbruch? Es geschieht effektiv nichts. Wenn man ein Motto einer Zigarettenwerbung abwandeln darf, dann heißt das »Vertragsbruch ohne Reue«, Vertragsbruch ohne Konsequenzen. Die andere Seite hat die Erfahrung gemacht, daß sie das Transitabkom-

31

men anknacken kann, ohne daß von uns aus die Möglichkeit oder der Wille des Eingriffs besteht. Sie waren es aber, der gesagt hat, wenn das passiert, wackelt die Wand. Sie sind uns eine Erklärung darüber schuldig, denn wir müssen erleben, daß gar nichts wackelt.

Klaus Schütz: Das verstehe ich nun überhaupt nicht. Leben wir denn in unterschiedlichen Ländern, Herr Lummer? Wir haben gerade vor wenigen Wochen in der Diskussion und im Streit um das Umweltbundesamt sehr massive Erklärungen und Einwirkungen der anderen Seite gehabt. Daraufhin haben im Rahmen des Viermächte-Abkommens die drei Mächte massiv ihre Meinung gesagt. Auch die Bundesregierung hat sehr klar und sehr präzise ihre Auffassung kundgetan. Gibt es denn diese Störungen heute noch? Nein, sie sind überwunden worden — im Rahmen des Abkommens. Wir haben gerade, und deshalb frage ich, ob wir in völlig unterschiedlichen Welten leben, an diesem Beispiel in den letzten Wochen gesehen, daß das Viermächte-Abkommen eben nicht mehr dazu zwingt, gleich Divisionen aufmarschieren zu lassen, sondern daß es jetzt möglich ist, im Rahmen des Abkommens durch die diplomatischen Kanäle, die vorgeschrieben sind, durch die Mechanismen, die vorhanden sind, Schwierigkeiten auszuklammern. Und heute läuft eben nach den Störungen der letzten drei bis vier Wochen alles wieder so, wie es im Abkommen vorgesehen ist.

Eugen Kogon: Ist das auch Ihre Auffassung, Herr von Wrangel?

Olaf von Wrangel: Ich bin leider später in die Diskussion hereingekommen. Der Kollege Bahr hat mich auf, wenn ich das richtig mitbekommen habe, die Vertragsfähigkeit angesprochen. Ich glaube es vorweg gleich einmal klipp und klar sagen zu müssen: Natürlich soll und muß es Verträge geben, aber ebenso natürlich ist für mich, daß wir alles tun müssen, um eine Art Interessenidentität herbeizuführen, damit Verträge nicht so unterschiedlich interpretiert werden können und wir zum Schluß dann mit dem Vertragsbruch leben müssen. Es ist deswegen die Frage der Vertragsfähigkeit durchaus erlaubt, wenn wir eine Serie von Vertragsbrüchen erleben.

Dies zu Ihrer Bemerkung, Herr Bahr. Wenn ich hier für die CDU/CSU sprechen kann, so zeigt wohl auch die Vergangenheit, daß wir Verträge gewollt und auch Verträge geschlossen haben.

Die zweite Frage bezog sich auf das Viermächte-Abkommen. Herr Schütz, ich kann mich gut daran erinnern, daß sich zwischen uns anläßlich der Funkausstellung in Berlin im Jahre 1971, unmittelbar nach dem Zustandekommen des Viermächte-Abkommens, ein Streitgespräch, eine Diskussion darüber entspann, in der Sie jene Kollegen von mir kritisierten, die sich skeptisch über dieses Abkommen äußerten. Ohne irgendeinen »Aha«-Effekt muß ich jetzt sagen: In der Tat zeigt sich eine Reihe von Schwierigkeiten, die wir damals vorausgesehen zu haben glaubten. Der entscheidende Punkt ist sicherlich folgender, daß Sie in diesem Augenblick sagen können, es habe in den letzten drei bis vier Wochen keine Schwierigkeiten mehr gegeben, daß man aber offiziell ständig Erklärungen hört, die besagen, daß die andere Seite dieses Abkommen wieder brechen würde, es einseitig im Interesse der UdSSR- und der DDR-Politik auslege und daß wir sicherlich aufgrund dieser Erklärungen der anderen Seite mit einer ganzen Serie von neuen Schwierigkeiten zu rechnen hätten. Natürlich ist es richtig, wenn Sie sagen, es ist anders als früher. Wir haben heute eine Art Konsultationsmechanismus. Das würde ich auch begrüßen. Aber wir haben hinwiederum doch eine Situation, aus der die Sowjetunion sich immer mehr Mitspracherechte in Westberlin erschleicht und der Viermächte-Status von ganz Berlin dabei verlorengeht. Und Sie, Herr Schütz, haben, wenn meine Erinnerung mich nicht täuscht, doch selber vor einigen Wochen in der Tageszeitung »DIE WELT« diesen Zustand beklagt.

Richard Löwenthal: Inwiefern hat sich die Sowjetunion in Westberlin Mitspracherechte erschlichen?

Olaf von Wrangel: Herr Professor Löwenthal, sie hat sich dieses Mitspracherecht erschlichen, indem sie permanent versucht — ich nehme jetzt als Beispiel den aktuellen Fall Umweltbundesamt —, in Fragen Westberlins mitzureden.

Richard Löwenthal: Aber hat sie das Umweltbundesamt verhindert? Ist das Umweltbundesamt in Berlin oder nicht? Das ist doch eine ganz einfache Frage, wenn man sich ein Recht erschlichen haben sollte. (Lebhafter Beifall.)

33

Olaf von Wrangel: Sie hat das Umweltbundesamt einstweilen nicht verhindert, das ist richtig. Aber …

Richard Löwenthal: Was heißt »einstweilen«?

Olaf von Wrangel: Ich glaube aber, daß beispielsweise weitere mögliche Verlagerungen von Institutionen nach Westberlin von der Sowjetunion verhindert werden könnten. Dies ist ja auch gesagt worden. Um Ihre Frage zu beantworten, verhindert worden ist es nicht, aber aufgrund der Erklärungen in Sachen Umweltbundesamt, die wir doch von der anderen Seite Tag für Tag hören, ist wohl für uns alle klar, Herr Schütz, und hier ziehen wir doch auch in der Sache an einem Strang, daß das Kapitel »Umweltbundesamt« noch nicht abgeschlossen ist.

Wolfgang Mischnick: Aber, Herr von Wrangel, wenn Sie sagen, die Sowjetunion habe sich in Westberlin Einfluß erschlichen, dann ist das doch — ganz schlicht gesprochen — eine harte Kritik an den anderen Vertragspartnern, nämlich unseren westlichen Freunden. (Beifall.)
Die Gesamtvereinbarung über Berlin ist ja von den vier Mächten geschlossen worden. Wir haben, wie der Kollege Bahr gesagt hat, ein Durchführungsabkommen für den Transitverkehr. Das würde bedeuten, daß genau das, was dieser Koalition gerade von Ihren Kollegen immer zum Vorwurf gemacht worden ist, daß wir nämlich das Verhältnis zu unseren Westmächten nicht richtig pflegten, jetzt von Ihnen mit der Behauptung, hier seien Dinge erschlichen worden, eine Situation herbeigeführt, die ich nicht für gut halten würde.
Die Frage kann doch nur lauten, ob vielleicht die Gesamtentwicklung bis zum Viermächte-Abkommen möglicherweise so verlaufen ist, daß mehr Einfluß entstand, als uns bei Abschluß des Viermächte-Abkommens lieb sein konnte. Möglicherweise wurde in der Vergangenheit bis zu diesem Zeitpunkt all das, was Gesamtberlin betraf, nicht in der Weise gesehen, wie es notwendig war.
Ich will nicht durch weitere Ausführungen das, was an Voraussetzungen von Herrn Professor Löwenthal genannt wurde, ergänzen. Nur, wenn jetzt von »erschlichen« die Rede ist, stellt sich natürlich die Frage, wie die Entwicklung von 1945 bezie-

hungsweise, wenn ich nach der Blockade rechne, von 1949 an verlief, bis es zu den Viermächte-Verhandlungen kam?

Ein zweiter Punkt: Mit Recht haben Sie darauf hingewiesen, daß man immer wieder mit der einen oder der anderen Reaktion rechnen muß. Genau das ist es doch, was Herr Kollege Bahr sagte: Wir können nicht von vornherein durch einen Vertrag ausschließen, daß es da und dort immer wieder Punkte geben wird, die zur Streitfrage werden. Aber der Streit wird heute über die vier Mächte mit uns in bestimmten Kommissionen behandelt und geregelt. Vor diesem Abkommen gab es keinerlei Möglichkeit, in ein direktes Gespräch zu kommen. Da kamen die Repressalien, da wurden die Ampeln auf Rot geschaltet, da gab es die entsprechenden Reaktionen. Dies haben wir überwunden. Das ist, meiner Überzeugung nach, ein entscheidender Schritt vorwärts.

Noch eine kurze Bemerkung zu dem, was Herr Lummer gesagt hat. Der Tatsache, daß Sie nichts zu der Entwicklung gesagt haben, wie Sie Herr Professor Löwenthal gezeichnet hat, darf ich wohl entnehmen, daß Sie im großen und ganzen diese Zeichnung der Entwicklung für richtig halten, das heißt, daß ab 1969 spätestens, wenn nicht schon vorher, die Notwendigkeit für uns bestand, zu vertraglichen Regelungen zu kommen. Es sei denn, wir hätten in Kauf nehmen müssen, daß zwischen den beiden Großmächten Sowjetunion und Vereinigte Staaten eine Entspannungspolitik getrieben wird, ohne daß wir überhaupt eine Chance gehabt hätten, unsere eigenen Interessen einzubringen. Wenn wir darin übereinstimmen, wäre ich sehr froh. Es wäre dann sehr schön, wenn in Zukunft die Gesamtdiskussion über diesen Teil in der Öffentlichkeit wegfiele. Denn vieles, was hier als gemeinsame Basis genannt worden ist, sieht draußen in Veranstaltungen und Versammlungen ganz anders aus. Da wird das alles immer wieder in Zweifel gesetzt. Es wäre schade, wenn das wieder losginge. (Beifall.)

Heinrich Lummer: Daß manche Äußerungen an manchem Orte anders fallen, zumal wenn Personenunterschiede vorhanden sind, ist eine Banalität. Es ist auch nicht nur so, wie Herr Bahr es hier zitiert hat, daß nämlich in bestimmten offiziellen Erklärungen eine gewisse Nüchternheit über die Bewertung der Ostverträge vorhanden ist. Es gibt manche andere Äußerungen, ebenfalls in Veranstaltungen, die eben jene Euphorie verbreiteten, von der ich sprach. Da kann man Zitat gegen Zitat setzen.

Aber ich will Ihre Frage kurz beantworten. Nach meinem Dafürhalten bestand eine Notwendigkeit zu Vereinbarungen mit osteuropäischen Ländern seit Beginn der sechziger Jahre. Das ist 1963, seit Gerhard Schröder Außenminister war, eingeleitet worden.

Wolfgang Mischnick: Es war 1961, als Schröder Außenminister wurde. Ich war damals im Kabinett ...

Heinrich Lummer: ... ich meine jetzt im Wechselkabinett Erhard ...

Wolfgang Mischnick: ... 1961 wurde Schröder Außenminister ...

Heinrich Lummer: ... also gut, streiten wir uns jetzt nicht darum, ich weiß nicht, warum Sie das jetzt so betonen ...

Wolfgang Mischnick: ... weil sonst beispielsweise die Vereinbarung über die Passierscheine in Berlin nicht möglich gewesen wäre, die war nämlich 1963.

Heinrich Lummer: Da war Erhard bereits Kanzler, ich bitte Sie ...

Wolfgang Mischnick: Aber Sie wissen doch ganz genau, welche entscheidende Voraussetzung damals geschaffen wurde, daß überhaupt ein Wechsel in der Außenpolitik Adenauers möglich wurde: weil der Außenminister wechselte. Deshalb ist er 1961 Außenminister geworden.

Heinrich Lummer: Wollen wir uns doch darüber nicht streiten. Also zu Beginn der sechziger Jahre, als Schröder Außenminister wurde, wurde sichtbar, daß eine Vertragspolitik mit osteuropäischen Ländern notwendig ist. Der Unterschied liegt darin, daß ich nicht bereit bin zu akzeptieren, daß diese Verträge 1971 oder 1970 oder 1972 abgeschlossen werden mußten, sondern daß ich der Auffassung bin, daß es eine Chance und die Möglichkeit gab, durchaus noch ein Jahr weiterzuverhandeln.

Warum hat man das eigentlich nicht getan? So stark war der Sachzwang nicht, daß wir absolut zwischen alle Stühle geraten wären, wenn es noch einige Monate oder ein Jahr länger gedauert hätte.

Richard Löwenthal: Herr Lummer, die Frage ist nicht, ob wir irgendwelche Verträge brauchten, sondern die Frage ist, ob wir Verträge brauchten, die einen Modus vivendi auf der Basis des für uns schwer zu schluckenden Status quo enthielten. Das war der große Punkt, an dem soundsoviele verantwortliche Politiker sich vor der Entscheidung gescheut haben. Und das eben war die Entscheidung, die die Regierung Brandt getroffen hat — gegen verbitterte Opposition. Wenn die Bundesregierung sich in diesen Jahren nicht auf die Basis des Modus vivendi auf der Grundlage des Status quo gestellt hätte, dann hätte sie den Marsch in die Isolierung angetreten. (Beifall.) Da sie den Mut zu jener Initiative hatte, und darum geht es und nicht um Einzelheiten in diesem Pünktchen oder jenem Pünktchen der Verhandlungen, steht sie heute da in einer Situation, wie sie niemals, niemals seit ihrem Bestehen, dagestanden hat, denn nun haben die Leute aufgehört zu sagen, daß die Bundesrepublik ein ökonomischer Riese und ein politischer Zwerg sei. (Starker Beifall.)

Eugen Kogon: Es haben sich die drei Publizisten am Tisch schon längere Zeit zu Wort gemeldet. Man würde jetzt gerne wissen, was über den bisherigen Verlauf unserer Debatten sie denken.

Theo Sommer: Herr Kogon, der Eindruck, den ich habe, deckt sich mit der Erfahrung des Engländers, der sich nach der deutschen Sitte des Handkusses erkundigte, warum wir denn diese blöde Höflichkeitsübung veranstalteten, und darauf die Antwort erhielt: Na, irgendwo muß man ja anfangen. (Lachen.)
Ich würde es als bedauerlich empfinden, wenn der grundsätzliche Ansatz von Herrn Professor Löwenthal ganz in der Detaildiskussion und so früh schon verlorenginge.
Lassen Sie mich versuchen, meine Auffassung zu dem Thema »Bilanz nach vier Jahren« in einigen kurzen Thesen klarzumachen:

Meine erste These: Diese Ostpolitik lag in der Staatsraison der Bundesrepublik. Jeder Kanzler hätte sie vollziehen müssen, und in der Tat hat auch jeder Kanzler vor Brandt Ansätze zu einer solchen Politik versucht; das war Adenauer 1958, als er den Sowjets eine österreichische Lösung für die damalige Sowjetzone anbot; das war Adenauer 1962, als er dem sowjetischen Botschafter die Geheimofferte eines zehnjährigen Burgfriedens anbot; das war Erhard, der das erste Passierscheinabkommen unterzeichnete; und das war schließlich Kiesinger mit seinem ersten Brief an den damaligen Ministerratsvorsitzenden Stoph. Alle diese Ansätze haben damals zu nichts geführt, weil die innerparteiliche Basis für einen konsequenten Vollzug fehlte. Ich sage das als Feststellung, gar nicht im Sinne eines Vorwurfs oder einer Anklage. Die Kraft zum Vollzug hat erst die Koalition Brandt/Scheel gehabt. (Starker Beifall, Zwischenrufe aus dem Publikum.)

Lassen Sie mich auf die Zwischenrufer eben antworten. Wenn der Kanzler im Mai 1972 nach dem Mißtrauensvotum Barzel geheißen hätte, er hätte auch in dieser Richtung weitermarschieren müssen. Er hat's inzwischen nachvollzogen.

Meine zweite These: Zu dieser Ostpolitik, was immer man im einzelnen bemäkeln oder bemängeln kann, gibt es in der großen Linie keine Alternative und hat es nie gegeben. Dazu drei außenpolitische Gründe, die sich im wesentlichen decken mit dem, was Professor Löwenthal gesagt hat.

Erstens. In einer Epoche, da alles in Richtung Entspannung marschierte, hätten wir uns, wenn wir uns gewehrt hätten, in die Isolierung begeben. Übrigens auch Ostberlin.

Zweitens. In einer Welt, in der sich das nukleare Patt immer mehr zur Parität verfestigt hat, konnten wir Westdeutsche nicht länger Ansprüche gegen den Osten erheben, die von unseren Verbündeten im Westen im Ernstfall nicht mehr militärisch gedeckt worden wären.

Drittens. Alles, was in Westeuropa in den letzten zwei Jahren möglich geworden ist und was nun weiter möglich werden wird in der vor uns liegenden Phase, hatte zur Voraussetzung, daß wir Westdeutschen endlich einmal klarstellten, wo wir eigentlich im Osten aufhören. Wir mußten, und nur wir Deutschen konnten das für Westeuropa tun, die Ostgrenze Westeuropas definieren. Vorher hätte sich niemand auf eine Ausweitung oder auf einen Ausbau eingelassen.

Ich will auf die inneren Motive nicht weiter eingehen. Lassen Sie mich nur sagen: Nach der Versöhnung mit Frankreich und mit Israel war der Ausgleich mit Osteuropa die letzte Runde der Wiedergutmachung. Dazu gehörte auch, daß wir unser Verhältnis zur DDR bereinigten. Das war ja nicht nur eine Anerkennung Ostberlins; was da vollzogen wurde, war letztlich eine Selbstanerkennung der Bundesrepublik. Erst seitdem wir diese Regelung gefunden haben, können wir nach außenhin souverän und nach innen unbefangen handeln.

Schließlich meine dritte These: Es besteht doch, meine Damen und Herren, ein Unterschied zwischen Rechtsansprüchen, die man erhebt — das kann sich in der wohlgesetzten Proklamation gerne erschöpfen —, und zwischen politischen Ansprüchen, bei denen das Wesentliche die Durchsetzung und Verwirklichung ist. Dazu bedarf es in der Politik nun einmal anders als in der reinen Proklamation der Kompromisse. Letztlich kommt es einzig und allein darauf an, ob die geschlossenen Kompromisse vertretbar sind. Man könnte fragen: Hätte Herr Bahr vielleicht andere Kompromisse aushandeln können? Wenn ja, wo hätten dann die Pferdefüße dieser anderen Kompromisse gelegen?

Der Rechtsstandpunkt war angesichts der Machtstandpunkte, der Machtlage, nicht durchzusetzen, Kompromisse waren nötig.

Und dies wäre eigentlich eine Frage an Herrn Lummer: Welche anderen Kompromisse hätten Sie denn abgeschlossen, und was hätten Sie zum Beispiel in dem einen Jahr — er sagte eben, man hätte doch noch ein Jahr abwarten sollen — herausgeholt? Wäre nicht vielleicht umgekehrt in diesem einen Jahr des Zuwartens manches von dem an Chancen wieder entschwunden, was damals doch in Reichweite war? (Beifall.)

Günther Gillessen: Die bisherige Debatte hat — ich nehme an, das ist auch der Eindruck im Publikum — doch bestätigt, daß es zwischen allen, die hier miteinander sprechen, mehr Übereinstimmung als Differenzen in den Grundfragen dieser Ostpolitik gibt. Dies möchte ich eigentlich auch für mich festhalten, vor allem als Schutz gegen ein Mißverständnis für die Kritik, die ich nun im Sinne habe. Sie muß vor einem Hintergrund von Zustimmung zu sehr viel vorangegangenen Darlegungen und Argumenten gelten.

Herr Sommer hat eben mit Recht darauf hingewiesen, daß es Ansätze zu Ostpolitik unter vier Bundeskanzlern gab. Und er hat beschrieben, daß sie gescheitert sind. Auch das wissen wir alle, wir haben es miterlebt. Aber ich bin mit seiner Begründung, warum sie scheiterten, nicht ganz einverstanden. Er sagte, sie scheiterten in der Regel oder sogar immer am Fehlen der innerparteilichen Grundlagen für die nötigen Kompromisse. Es könnte beinahe so erscheinen, als habe es sich dabei um innerparteiliche Schwierigkeiten der damaligen Regierungsparteien, der heutigen Opposition, gehandelt. Ich glaube, es ist notwendig, daran zu erinnern, daß es innerparteiliche Schwierigkeiten des gesamten Parlamentes waren, aller Parteien von rechts bis links — insofern es überhaupt rechts und links damals gab —, jedenfalls in der Polarisierung, die wir heute mit diesen Begriffen verbinden. Das Parlament hat insgesamt in allen drei Parteien nicht die Opfer, was immer man darunter verstehen mag, erbringen wollen, die diese Ostpolitik kosten mochte.

Es war von Anfang an klar, daß man diese Bewegung in die Ostpolitik nicht hineinbringen konnte, wenn man diese Opfer nicht bringen wollte. Vorangegangene Bundestage haben immer gefunden, daß die Preise für neue Bewegungsfreiheit in Osteuropa zu hoch gewesen seien. Es könnte nun so scheinen, als sei damit der historische Wert der neuen Ostpolitik eine ganze Portion kleiner, als viele, die es miterlebt haben, es damals empfanden. Ich bin in der Tat der Meinung, daß die historische Leistung nicht ganz so groß ist, wie die Regierung sie in der Regel, aus allerlei verständlichen Gründen, darstellt. Herr Lummer hat bei der Erörterung des Berlin-Abkommens vorhin und der Ostpolitik insgesamt auf einen bemerkenswerten Unterschied in den beiden Positionen aufmerksam gemacht. Ich möchte gern darauf zurückkommen.

Eugen Kogon: Darf ich eine Zwischenfrage zu dem vorhergehenden Punkt stellen? Herr Löwenthal hat das historische Verdienst darin gesehen, daß wir in einer exzeptionell schwierigen Situation die Entscheidung vollzogen und sie durchgesetzt haben. Würden Sie das akzeptieren oder sagen, das genüge nicht? Ich möchte nur erfahren, wie weit Sie gehen.

Günther Gillessen: Das ist richtig, aber ich wollte gerne dazusagen, daß diese Ostpolitik nicht auf die Regierung hätte beschränkt bleiben müssen, wenn die Regierung es vorgezogen hätte, um größere Zustimmung bei der Opposition dafür zu werben und zu finden. Es wäre natürlich nicht ganz so schnell gegangen und nicht ganz so weit. Dies ist richtig. Es ist eine Frage, die natürlich zum Schluß in die Bilanz eingehen muß, ob die Ostpolitik nicht über gewisse Ziele oder gewisse praktische Möglichkeiten hinausgeschossen ist, die jetzt die Ernüchterung erklären.

Herr Lummer hat darauf hingewiesen, daß es eine gewisse Ungleichheit des Geschäftes gegeben habe, nämlich Status-Zugeständnisse auf westlicher Seite in bezug auf die Anerkennung der DDR und in bezug auf die Oder-Neiße-Grenze, ferner in bezug auf die Berlin-Regelung prozessuale Zugeständnisse oder Zugeständnisse, die im Laufe der Zeit vergrößert oder verkleinert werden können. Daran hat sich dann eine Debatte zwischen Herrn Lummer und Herrn Bahr entzündet, ob man das Berlin-Abkommen nicht »wasserdichter« hätte machen können. Ich weiß nicht, ob dies gelungen wäre. Die menschliche Phantasie reicht im allgemeinen nicht aus, alle Fälle, die es geben kann, in ein solches Abkommen hineinzubringen. Aber ich finde, es gibt doch eine Vergleichbarkeit zwischen den Status-Fragen, die wir konzediert haben, und den Status-Fragen, die die andere Seite hätte konzedieren müssen, nämlich im Berlin-Abkommen. Meine Kritik am Berlin-Abkommen bezieht sich nicht auf die Kasuistik der Absicherung, sondern auf die Grundsatzfragen. In allen Verträgen der Ostpolitik gibt es prinzipielle Gegensätze. Zum Beispiel verlangte die andere Seite völkerrechtliche Anerkennung, praktisch de jure, für die Oder-Neiße-Grenze. Sie wissen, daß Herr Bahr und die Bundesregierung dies nicht zur Gänze konzediert haben. Da sind kleine Reserven übriggeblieben.

(Die Berücksichtigung der Fernsehübertragungszeiten erforderte hier eine halbstündige Pause.)

Zweiter Teil der Diskussion

Eugen Kogon: Meine Damen und Herren, wir setzen die Diskussion fort. Wir haben uns den weiteren Verlauf folgendermaßen gedacht: Nach den Ausführungen der Journalisten wird die Debatte des ersten Teils beendet, und es folgt die Frage der Möglichkeiten, der Perspektiven, die sich aus dem gegenwärtigen vertraglichen und politischen Zustand ergeben können.

Als dritter der Publizisten hat Herr Dr. Picaper das Wort.

Jean-Paul Picaper: Ich bin aufgefordert worden, den französischen Standpunkt zu exemplifizieren — nicht zu vertreten —, wir Franzosen haben bereits mehr zeitlichen Abstand zu dieser Ostpolitik. De Gaulle hat damit 1959 begonnen. Er machte damals der Bundesrepublik auf einer Pressekonferenz seine Angebote, als er sagte, daß sie Trümpfe in der Hand habe, die sie ausspielen könne. Zwar verknüpfte de Gaulle damit einen anderen Gedanken, als ihn die deutsche Ostpolitik dann später entwickelt hat, den Gedanken nämlich, die Voraussetzung für die Ostpolitik Frankreichs zu schaffen.

Was er wollte, war, daß die Bundesrepublik die Grenzen Polens anerkannte und ihr Verhältnis mit der Tschechoslowakei normalisierte. Er wollte auch, daß sie auf atomare Rüstung verzichtete, was die Bundesrepublik ja von Anfang an ohnehin getan hatte. Und er wollte ferner die westliche Präsenz in Berlin bestätigt haben. Das alles ist erreicht worden.

In dieser Frühzeit der Ostpolitik war de Gaulle gegen die Anerkennung der DDR. Das hat er in Moskau 1966 sehr deutlich gesagt. Das unterscheidet ihn später von Schumann, der eine stärkere und engere Kooperationspolitik mit der Sowjetunion betrieb. De Gaulle war, wenn auch ohne die Integration Frankreichs in die NATO, für eine energische Verteidigung, das darf man nicht vergessen. Er war es, der sich zur Zeit des Mauerbaues am meisten gegen die östlichen Unternehmungen gewehrt hat.

Nicht erreicht worden ist ganz eindeutig das mittelfristige Ziel: die Individualisierung der Ostblockländer. Und mißlungen ist schon der Ansatz zu dem langfristigen großen Modell eines Europa vom Atlantik bis zum Ural.

43

Im Laufe der Jahre hat sich Frankreich, besonders nach dem Ausscheiden de Gaulles, mehr und mehr aus der aktiven West-Ost-Politik herausgehalten. Das schloß nicht aus, daß der Quai d'Orsay, vor allem unter der Leitung von Maurice Schumann, über dieser Politik zeitweise in Konflikt mit den Deutschen geriet. Da man glaubte, daß sich die Deutschland-Politik zunehmend national entwickelte — was Herr Bahr vielleicht doch bejahen kann —, verspürte man in Frankreich gewisse — altbekannte — Befürchtungen.

Eugen Kogon: Sie meinen Befürchtungen einer allzu intensiven Zusammenarbeit der Bundesrepublik mit der Sowjetunion?

Jean-Paul Picaper: Ja, ich würde es ein Sonderverhältnis nennen, aufgrund nationalen Erwachens mit konkreten Folgen. Herr Löwenthal sagte, die Ostpolitik der Bundesrepublik habe nur einen Sonderkonflikt beseitigt und keineswegs ein Sonderverhältnis entwickelt. Ich will ihm das gerne abnehmen; ich hoffe, das es so ist. Die Entwicklungen der nächsten Jahre werden es zeigen.

Was denkt man nun aber jetzt in Frankreich von dieser Politik? Einen wirklich grundlegenden Wandel hat sie nicht herbeigeführt. Der Wandel, von dem hier die Rede ist, wird in Deutschland deshalb so stark empfunden, weil er mit einem Regierungswechsel verbunden war. Gewiß, man hat einen neuen Spielraum in der Außenpolitik gewonnen. Aber in Frankreich herrscht das Gefühl vor, daß die Konfrontation die gleiche geblieben ist, auch wenn sie im Normalfall mit anderen Mitteln bewältigt wird, als das früher der Fall war. Bei ernsten Konflikten würden sich keine Veränderungen zeigen. Gegen die sozusagen normalen Schwierigkeiten sind gewisse praktische Maßnahmen vorgesehen. Eine Konfrontation erfolgt jetzt mit institutionalisierter Kommunikation, während es früher für die Konfrontationsfälle nur sporadische Kommunikation gab.

Bei aller Veränderung der Verhaltensweisen versuchen die Sowjets selbstverständlich, möglichst viel Vorteil aus den neuen Gegebenheiten zu schlagen. Das heißt, sie versuchen, hart an die Grenze des Mitspracherechts oder des Mitentscheidungsrechts und Mitbestimmungsrechts zu kommen.

Man darf nicht vergessen, daß Abrassimow nach dem Berlin-Abkommen gleich gesagt hat, es handle sich um ein Abkommen über Westberlin. Hier herrscht Dissens mit dem Westen, der Westen ist da anderer Meinung. Aber diese Tatsache muß man hinnehmen.

Im übrigen: Konsolidierung und Expansion schließen sich für eine Großmacht nicht aus. Da ist kein Wandel in der Außenpolitik der Sowjetunion eingetreten, sondern es werden vielleicht mehr Möglichkeiten — je nach Interessenlage — gesehen.

Eugen Kogon: Zu dieser letzten Bemerkung würden wir sicherlich gerne Herrn Löwenthal hören.

Ich schlage vor, daß wir dann zur zentralen Problematik zurückkehren. Herr Bahr hat an einer Stelle gesagt, daß es positive und negative Seiten in Abmachungen gab oder gibt. Was man gegen die negativen tun könnte, läßt sich vielleicht noch entwickeln. Daran schlösse sich die Frage der Alternativen an.

Richard Löwenthal: Zunächst zur letzten Frage, die Herr Picaper angeschnitten hat. Natürlich kann eine Großmacht gleichzeitig das Ziel haben, ihre Machtsphäre zu konsolidieren und sie auszudehnen. Wenn es sich um Weltmächte handelt, ist das sogar ziemlich normal. Wenn es nur zwei oder zweieinhalb Weltmächte gibt, kann keine davon eine völlig saturierte Macht sein, weil jede die Tendenz hat, wenn irgendwo eine Position frei wird, das Machtvakuum zu füllen, bevor die Rivalin es füllt. Das hat gar nichts mit Revolution zu tun, das ist die Logik der Weltmachtsituation. Darin bin ich mit Herrn Picaper ganz einig. Was sich etwas gewandelt hat, ist die Bedeutung Europas für die Sowjetunion im Rahmen dieser Weltpolitik. Ich glaube, daß die Sowjetunion in Europa heute keine aktuellen expansiven Ziele, sondern Konsolidierungsziele hat. Natürlich kann man immer sagen, sie habe die weiteren Ziele nicht aufgegeben, wenn sich plötzlich enorme Gelegenheiten bieten sollten gegenüber Mächten, die desorganisiert sind. Dann wird sich zeigen, wie sie darauf reagiert. Aber in der aktuellen Weltsituation ist Europa heute kein Gebiet, in dem die Sowjetunion Expansion, sondern ein Gebiet, in dem sie Konsolidierung anstrebt. Das ist für uns, die wir in Europa leben, immerhin ganz wichtig.

Jean-Paul Picaper: Das werden wir erfahren, wenn man Abrüstung in Mitteleuropa erwägt. Das wird der Prüfstein sein.

Richard Löwenthal: Sicher, aber in den Abrüstungsverhandlungen spielen andere Dinge, zum Beispiel das Weltgleichgewicht mit den Vereinigten Staaten, eine entscheidende Rolle. Ich möchte überhaupt sagen, daß nicht sehr viel dabei herauskommt, wenn man, wie das Herr Lummer vorhin auch gesagt hat, behauptet, die Sowjets oder die DDR haben ihr Ziel, zum Beispiel in bezug auf Berlin, nicht aufgegeben. Als ein Fernziel gewiß nicht. Aber Verträge schließt man nicht über Fernziele. Kein Staat schließt Verträge über Fernziele. Wir haben unsere Fernziele auch nicht aufgegeben. Man schließt Verträge über die aktuellen Dinge, über das, was man beim gegebenen Kräfteverhältnis auf absehbare Zeit machen kann und machen will. Das ist der Sinn auch dieser Verträge.

Nun ein Wort zu der Bemerkung von Herrn Gillessen, und er war nicht der einzige, der gesagt hat: Es gibt nicht so sehr viel Neues in der Ostpolitik seit 1969; es hat alle diese Ansätze schon gegeben, und soweit es Hindernisse gab, waren sie nicht in einer Partei, sondern waren sie überall.

Ich möchte dazu eine Geschichte erzählen, die Geschichte der Erhard-Schröderschen Friedensnote vom Frühjahr 1966. Das war ein von Außenminister Schröder großangelegter Versuch, ein neues Klima gegenüber den osteuropäischen Staaten zu schaffen, und dieser Versuch war sogar mit der damaligen sozialdemokratischen Opposition abgesprochen. Alle waren sich darüber einig. Dann kam die Note, die in der Frage der polnischen Grenze mit Absicht etwas vage war, ins Kabinett, und im Kabinett hat Bundeskanzler Erhard unter dem Druck bestimmter Elemente seiner Partei darauf bestanden, einen ausdrücklichen Hinweis in die Note aufzunehmen, daß bis zu einer friedensvertraglichen Einigung die Grenzen von 1937 völkerrechtlich gültig seien. Dieser rechtliche Hinweis genügte, um die Note jeder möglichen positiven Wirkung in Polen zu berauben.

Das zur Illustration, daß Parteifragen doch tatsächlich in der Hemmung der Ostpolitik, in der Verhinderung einer wirklichen Wendung eine sehr wichtige Rolle gespielt haben und daß eine andere innenpolitische Balance notwendig war, um die Durchsetzung einer neuen Politik und um die Entstehung einer politischen Führung, die diese Politik dann im ganzen Volk bewirkte, zu ermöglichen.

Eugen Kogon: Finden Sie nicht, daß bis zu der neuen Wende, also »Kassel–Erfurt«, dann bis zum Moskauer und Warschauer Vertrag eine machiavellistische Note in der bundesdeutschen Ostpolitik war, nämlich der Versuch, der DDR in den Rücken zu gelangen, die Bastion von hinten zu fassen? Dagegen hat sich der ganze Ostblock in den Bukarester Erklärungen zusammengeschlossen. Erst in der Großen Koalition hat sich dann, als Brandt Außenminister wurde, allmählich die Einsicht durchgesetzt, daß man so nicht weiterkam.

Richard Löwenthal: Ich würde das nicht machiavellistisch nennen. Wir hatten die Situation, daß die DDR ein besonders harter Gegner jeder Verständigung war. Der Gedanke lag nah, zu versuchen, die DDR zu isolieren, und zwar mit der Begründung, sie isoliere sich ja selbst. Noch in der Zeit der Großen Koalition, als man Veränderungen erhofft hatte im Ostblock–Wandel unter dem Eindruck der neuen Politik —, hat man gesagt: Wenn das noch ein bißchen weitergeht, wird es auch einen Wandel in der DDR geben; dann werden wir mit der DDR normale Beziehungen herstellen. Aber nicht vorher.
Ich nenne das nicht machiavellistisch, ich finde es sogar sehr verständlich. Nur: es war illusionär.

Eugen Kogon: Ich habe die Bezeichnung nicht abwertend gemeint, sondern als eine traditionelle Außenpolitik, wie sie jahrhundertelang betrieben worden ist. Wir wollen nun aber nicht Geschichtsforschung im Detail betreiben. Herr Mischnick, bitte!

Wolfgang Mischnick: Zur Unterstützung nur noch diesen Hinweis: Es wird heute kaum mehr daran gedacht, daß am 9. August 1963 im Bundeskabinett — deshalb bestand ich vorhin so auf dem genauen Zeitpunkt des Amtseintrittes von Gerhard Schröder — ein Beschluß gefaßt wurde, paritätisch besetzte Kommissionen zwischen den beiden deutschen Staaten, obschon unter dem Dach der vier Mächte, einzurichten; es war aber nicht möglich, dies, wie es noch unter Adenauer im Ka-

binett beschlossen war, innerhalb der CDU/CSU durchzusetzen.

Weiter war es so, daß die Aufnahme diplomatischer Beziehungen zu Rumänien nicht mit der Sowjetunion abgestimmt
war, so daß alles andere, was wir in Richtung der übrigen
Warschauer-Pakt-Staaten vorhatten, zunächst blockiert wurde. Das unterstreicht die These, daß man versucht hat, die
Dinge drumherum zu machen, statt sie direkt anzugehen. Das
ist erst seit 1969 möglich geworden — mit dem Ergebnis, daß
die Dinge in der Zwischenzeit bereinigt werden konnten.

Eugen Kogon: Zu einem anderen Punkt, Herr Schütz?

Klaus Schütz: Ich würde mich ganz gerne von der Geschichtsforschung ab- und dem eigentlichen Thema wieder zuwen-
den.

Ich halte es doch für eine erstaunliche Bilanz, die wir heute
ziehen: Es zeigt sich, daß eigentlich niemand zurück will,
selbst wenn er könnte. (Lebhafter Beifall.)

Was die Viermächte-Vereinbarung betrifft, so haben wir ja,
Herr Gillessen, vorher öffentlich gesagt, was wir von den vier
Mächten wollen. Auch die Ostberliner Seite hat geschrieben
und veröffentlicht, was sie wollte. Das läßt sich nebeneinan-
derstellen. Wir haben da — ich sage das jetzt nicht im Sinne
einer Triumphfanfare — unsere Position durchgesetzt. Zum
einen, weil die Orientierung erfolgt ist an den Erfahrungen
von 25 Jahren alliierter Oberherrschaft in Berlin, zum andern, weil wir versucht haben, die vier Mächte in die Position
eines Interessengleichgewichts zu setzen, das über Berlin hin-
ausgeht. Die Ratifizierung der Verträge von Moskau und
Warschau konnte nur erfolgen, wenn in Berlin ein befriedi-
gendes Abkommen zustandekam. Dadurch, daß dieser um-
fassende Interessenausgleich geschaffen worden ist, ist es
auch möglich gewesen, in Berlin eine Regelung zu finden, die
wir voll akzeptieren.

Daß wir nicht weitergehen wollten, auch in der Frage der Zu-
gehörigkeit zur Bundesrepublik, als im Berlin-Abkommen
feststeht, das hat etwas mit dem Risiko zu tun, das wir nicht
eingehen wollten, auf die alliierte Oberhoheit in Westberlin
und damit auf die Viermächte-Regelung für ganz Berlin zu
verzichten. Vielleicht hätten wir es anders haben können,

48

aber dann hätten wir eine Vollzugehörigkeit möglicherweise Westberlins zur Bundesrepublik gehabt ohne die Oberhoheit, ohne die Souveränität der drei Mächte in Westberlin. Wir haben uns alle zusammen entschlossen, das nicht zu machen. Dies hat meiner Ansicht nach auch einen Bezug für die Zukunft und ist wichtig für das, was wir wollten.

Weiterhin ist wichtig, daß wir — wenn ich es richtig sehe, alle Parteien — nicht der Meinung waren, wir würden durch diese Verträge die heile Welt in Berlin oder in Deutschland oder in Europa herstellen. Wir haben — und wir sprechen heute ganz bewußt nicht davon, daß wir eine Lösung der Berlin-Frage erhalten haben — eine Berlin-Regelung bekommen, mit der man praktischer leben kann als vorher. Das ist wichtig.

Das Zweite, was wohl immer wieder in der Diskussion als Illusion oder als Naivität auftaucht, ist, daß einige meinen, wir würden mit einem Abkommen oder mit einem Vertrag oder, nehmen wir es mal ganz konkret, mit dem Berlin-Abkommen etwa erreichen, daß die in Ostberlin weniger »gute Kommunisten« würden, wie möglicherweise einige bei denen hoffen, daß wir weniger »gute Republikaner« würden, um es einmal so zusammenzufassen. Als guter Sozialdemokrat sage ich, daß ich jedenfalls mich wegen dieses Abkommens nicht ändere. Die Illusion, die einige bei uns hatten und vielleicht noch immer haben, daß sie durch einen Vertrag von einem Tag zum andern es aufgeben könnten, darüber nachzudenken, ob es in Westberlin nicht noch schöner sein sollte, als es heute dort ist, diese Illusion haben wir nicht gehabt. Und die sollten wir wohl auch in Zukunft nicht haben.

Im jetzigen Rahmen kann man doch aber weitergehen. In Ihrer Zeitung, Herr Gillessen, konnte man heute lesen, daß die Bundesrepublik mit der Sowjetunion offenbar vor dem Abschluß über ein Atomkraftwerk steht, das Strom in die Bundesrepublik liefert, und diese Leitung durch Westberlin gehen läßt. Dies ist ein außergewöhnlicher Vorgang. Er zeigt, daß wir so weitergehen müssen; wir dürfen jetzt nicht stehenbleiben. Wir müssen das, was wir haben, ausbauen und dort, wo Vertragsverletzungen vorkommen — und sie kommen vor, Herr Lummer hat das in diesem Zusammenhang völlig richtig gesagt —, versuchen, mit allen Kräften, über die wir verfügen, zu bereinigen.

Manchmal ist das gelungen: beim Zwangsumtausch ist es noch nicht gelungen, da muß weitergebohrt werden. Aber generell muß man jetzt sehen, daß diese Politik weitergeführt wird. Deshalb sind zum Beispiel Gespräche mit Gromyko in Bonn wichtig. Und deshalb ist es wichtig, daß der Bundeskanzler noch in diesem Jahr, wenn irgend möglich, nach Moskau fährt, um die Politik, die sinnvoll seit 1969 mit Brandt und Scheel begonnen hat, sinnvoll weiterzuführen. (Beifall; einige Buh-Rufe.)

Eugen Kogon: Was nun die Alternativ-Politik betrifft, die sich auf die Anfänge von vor vier Jahren, auf die Zeit davor und auf jetzt, auf die neue Situation bezieht, so ist die Bahn frei für Herrn von Wrangel und Herrn Lummer, sich dazu zu äußern!

Heinrich Lummer: Herr Regierender Bürgermeister, Sie hatten in Ihrem ersten Beitrag darauf hingewiesen oder gefragt, ob wir denn in *einer* Welt leben. Ganz sicher leben wir in einer Welt, nur sehen wir gewiß manche Dinge mit anderen Augen oder von unterschiedlichen Standorten aus. Das ist ja der Sinn einer Diskussion, daß diese Gesichtspunkte möglichst präzise herausgearbeitet werden. Es ist eines Ihrer inzwischen anerkannten Lieblingszitate geworden, festzustellen, daß niemand in die Situation vor den Verträgen zurückwolle. Vielleicht muß man aber auch da ein wenig präzisieren. Hier bietet sich jetzt einmal die Gelegenheit dazu.
Wenn mit Ihrem Satz jene Situation gemeint sein sollte, die stärker als heute von Schikanen, Schwierigkeiten und Krisen gekennzeichnet gewesen ist, dann sind wir sicherlich einig. Wenn aber damit eine Situation gemeint wäre, in der wir noch die Chance hätten, in Verhandlungen mehr oder Besseres herauszuholen, da muß ich zugeben, daß ich gelegentlich wirklich den großen Wunsch habe, eine solche Situation noch einmal zu erleben. Denn manche Erfahrung, die wir heute gemacht haben, läßt deutlich werden, daß, in meiner Sicht jedenfalls, nicht alles das herauskam, was herauskommen konnte.
Damit bin ich bei der Frage von Herrn Sommer: Gibt es denn andere Kompromisse oder andere Möglichkeiten? Gewiß gibt es das nicht in dem Sinne, daß der Grundkompromiß anders

50

aussehen könnte. Diesen habe ich eingangs dargestellt. Es ging auf der einen Seite darum, den Status quo, den die Sowjetunion haben wollte, zu garantieren, und auf der anderen Seite darum, im wesentlichen menschliche Erleichterungen zu bekommen — in den verschiedensten Variationen wie Transit, Besuche et cetera, sicherlich auch eine Absicherung des Status von Berlin. Aber wenn man hier ins Konkrete geht, dann meine ich, gab es sehr wohl Möglichkeiten, die Kompromißsituation anders zu deuten und andere Ergebnisse anzustreben. Denn nach meinem Dafürhalten sind ein paar solcher Stellen, die mancher als »graue Zonen« bezeichnet, und ein paar Ausklammerungen der Grund dafür, daß wir Schwierigkeiten haben oder Schwierigkeiten bekommen.

Beginnen wir mit dem Grundvertrag. Herr Bahr hat seinerzeit, als der Artikel 7 in aller Munde und der Vertrag abgeschlossen war, darauf hingewiesen, daß manche Schwierigkeiten im Luftverkehr Berlins jetzt schnell beseitigt würden. Vom damaligen Außenminister Scheel wurde auch gesagt: »Das packen wir jetzt alles in die Luftverkehrsverhandlungen mit der DDR ein. Wenn wir dann mit denen soweit sind, dann ist das erledigt.« Die Verhandlungen haben seither nicht einmal begonnen. Warum haben sie nicht begonnen? Weil es sich um ein äußerst schwieriges Problem handelt, und wir es zunächst ausgeklammert haben.

Ausgeklammert haben wir auch die fundamentale Frage der Staatsangehörigkeit, wie Sie wissen. Es gab sicherlich Gründe dafür, das zu tun. Aber wir werden, das habe ich von Anfang an gesagt, dieser Frage nicht aus dem Wege gehen können. Sie kommt in dieser oder jener Variante auf uns zu.

Wir haben ausgeklammert auch die Frage des Vermögens, zum Beispiel. Warum bin ich der Meinung, daß man das damals schon hätte aufgreifen sollen? Weil ich davon ausgehe, daß unsere Taschen leer geworden sind für Kompromisse. Was haben wir denn heute noch der anderen Seite zu bieten, um gerade diese Frage ein wenig in unserem Sinne zu lösen? Es gab doch von uns nur den Ansatzpunkt in der Kompromißsituation, den Status quo zu bieten. Wenn man das weiß und wir nachher zuwenig haben, um Weiteres leisten zu können, dann ist für mich der Sachzwang gegeben, dies von Anfang an mit in den Kompromiß einzupacken. Das ist das eine. Das andere Beispiel, Herr Sommer: Der Regierende Bürgermeister wird, wenn er sich an die Debatten des Abgeordnetenhauses erinnert, nicht vergessen haben, daß ich von vornherein auf die Schwierigkeiten hingewiesen habe, die beim Zwangsumtausch entstehen, und zwar Schwierigkeiten im Zusammenhang mit der Fluchthilfe und den Flüchtlingen. Aus einem ganz einfachen Grund: Wir haben, Herr Bahr, was das Transitabkommen betrifft — ich will das jetzt nicht entwerten, aber man muß die Problematik sehen —, im Grunde das Menschenrecht auf Freizügigkeit zu einem Mißbrauch eines Vertrages deklariert. Das ist die Situation. Das heißt, der eine kann behaupten, das sei Menschenrecht, und der andere kann behaupten, die Ausübung des Menschenrechts sei Mißbrauch im Sinn dieses Vertrages. Das ist keine besonders schöne Situation. Vielleicht war sie notwendig, aber man hätte sie meines Erachtens schöner machen können. Ihre Meinung wird wohl anders sein.

Wir reden dann von Hypothesen und Grundchancen der außenpolitischen Situation — wir werden dabei über Spekulationen wahrscheinlich nicht hinauskommen, weil es um Einschätzungen allgemeiner politischer Situationen geht. Ich wollte damit nur deutlich machen, Herr Sommer, wo ich Ansatzpunkte für andere Kompromisse sehe. Es geht nicht um die Grundsituation, sondern um bestimmte Einzelfragen.

Richard Löwenthal: Ich möchte gerne eine Frage zur Klärung stellen: Habe ich Sie richtig verstanden, daß Sie gesagt haben, wenn das alles im Paket dringewesen wäre, dann wären auch Sie dafür gewesen, den Status quo »dranzugeben«? Das wäre eine sehr deutliche Aussage, die ich so deutlich bisher von Ihrer Seite nicht gehört habe.

Heinrich Lummer: Nun, Sie können jetzt versuchen, durch einen Umkehrschluß oder eine Implikation mich darauf festzunageln. (Beifall.) Ich habe auch gar nicht so wahnsinnig viel dagegen, nur müßte ich mich dann noch ein bißchen dazu äußern, wo für mich ein solcher Kompromiß erträglich wird. Aber das ist in diesem Moment noch nicht die Frage. Vielleicht kommen wir später darauf zurück ... (Zwischenrufe, Mißfallen im Publikum.) Zunächst ging es jetzt nur darum, Ihre Frage in diesem Sinne zu beantworten.

Richard Löwenthal: Im Prinzip also ja?!

Heinrich Lummer: Ja, im Prinzip ja — keine Frage, aber es geht dabei nicht nur ...

Richard Löwenthal: Es geht um die Festlegung ...

Heinrich Lummer: Daran gab es gar keinen Zweifel. Der Deutsche Bundestag hat eine gemeinsame Resolution verabschiedet. Es gibt ein Urteil des Bundesverfassungsgerichts zum Grundlagenvertrag. Herr Professor Löwenthal, Sie haben vorhin mit einer gewissen Energie gesagt, was bei Ihnen immerhin deutlich macht, wie engagiert Sie an dieser Stelle waren, daß es nicht darauf ankam, irgendeinen Vertrag zu machen, sondern daß es darauf ankam, den Status quo als Modus vivendi anzuerkennen. In dieser Härte haben Sie formuliert. Dann muß ich Ihnen die Gegenfrage stellen: Meinen Sie das unter Berücksichtigung der Resolution und des Urteils zum Grundlagenvertrag, oder kritisieren Sie damit das Urteil?
Verstehen Sie, Herr Sommer, wir können diese Fragen hier natürlich besprechen, sie sind nur zu schwerwiegend, als daß man sich dabei auf zwei, drei Minuten beschränken könnte.

Richard Löwenthal: Lassen Sie mich Ihre Frage beantworten. Ich glaube, daß in der Resolution eine Phrase drinsteht, die verlogen und dumm ist. Ich meine den Satz in der Resolution, der sagt, daß diese Verträge für die bestehenden Grenzen keine Rechtsgrundlage schaffen. Das ist absurd. Das ist unehrlich.

Eugen Kogon: Der Satz heißt, ich lese ihn aus dem Text, den ich vor mir habe, vor: »Dabei gehen die Verträge von den heute tatsächlich bestehenden Grenzen aus, deren einseitige Änderung sie ausschließen. Die Verträge nehmen eine friedensvertragliche Regelung für Deutschland nicht vorweg und schaffen keine Rechtsgrundlage für die heute bestehenden Grenzen.«

Richard Löwenthal: Ja, diese letzten Worte halte ich für eine Absurdität, die, wenn sie ernst genommen worden wäre im 53

Ausland, was Gott sei Dank nicht der Fall war, die ganze Position unglaubwürdig gemacht hätte.

Ich meine außerdem, daß das Urteil des Bundesverfassungsgerichts eine Reihe von Dingen sagt, die kein Mensch außerhalb der Bundesrepublik verstehen kann. (Beifall.) Das Bundesverfassungsgericht ist unsere höchste rechtliche Institution, und die Bundesregierung ist an das Urteil gebunden. Ich bin kein Politiker, kein Regierungsmitglied und kein Beamter, ich bin unabhängiger Wissenschaftler. Und ich sage Ihnen, daß ich diesen juristischen Quark nicht verstehe. (Starker Beifall.)

Eugen Kogon: Aber, lieber Herr Löwenthal, mit Juristerei Politik zu machen, ist eine alte deutsche Leidenschaft.

Heinrich Lummer: Ich habe vor einer Stunde überlegt, ob es mir gelingen würde, Sie an diese Stelle hinzubringen, ich sehe mit Vergnügen, daß es gelungen ist.

Richard Löwenthal: Gar nicht schwer. (Beifall.) Ich möchte dazu sagen, daß die Deutschen zwanzig Jahre lang mit Juristerei Außenpolitik gemacht haben und damit in die äußerste Ecke gekommen sind. (Starker Beifall.)

Heinrich Lummer: Herr Professor Löwenthal, sicher ist es richtig, daß die Deutschen zu einem großen Teil, vielleicht zu einem überaus großen Teil, mit Juristerei Politik betrieben haben. Nur tun das die anderen auch. Die Russen zum Beispiel sind gelegentlich äußerst massiv dabei, juristische Positionen zum Mittelpunkt von Außenpolitik zu machen. Es ist dann immer nur eine Frage, wer der Mächtigere ist.

Richard Löwenthal: Ich bin der Meinung, man kann Macht nicht durch juristische Positionen ersetzen.

Heinrich Lummer: In der Tat, das kann man nicht. Aber man kann unter Umständen Rechtspositionen aufrechterhalten, unbeschadet machtpolitischer Situationen oder machtpolitischer Veränderungen. Das ist doch die Frage. Denn die Machtpolitik verändert sich, soweit die Geschichte das lehrt, immer mal wieder, einmal in der einen und einmal in der anderen Richtung.

Ich möchte noch eine Bemerkung machen zu Ihren Ausführungen, Herr Professor Löwenthal, nämlich zu einer These, die Sie aufgestellt haben, die ich nicht teile. Sie haben behauptet, es habe einen doppelten Konflikt gegeben bis zu dieser Ostpolitik, nämlich den allgemeinen Konflikt Demokratie/Diktatur, der von allen westlichen Ländern getragen und geteilt werde, und den besonderen Konflikt, der sich aus der besonderen deutschen Situation ergibt. Ich glaube, daß dieser zweite Konflikt geringer geworden ist. Aber ich kann mir nicht vorstellen, daß er aufgehoben ist. Denn zwei Dinge sind für mich doch geblieben: einmal die Situation Berlins, die uns mehr als irgendeinen Staat anderswo in der westlichen Welt belastet. Das aber heißt, es kann nach wie vor einen Ansatz zum Konflikt geben, und wir haben ihn latent in den letzten Monaten gespürt. Der zweite Punkt sind die Verletzungen von Menschenrechten in Deutschland. An der Grenze in Deutschland werden keine Kongolesen und keine Chilenen erschossen, sondern Deutsche. Aber die anderen in der Welt interessiert das sehr viel weniger als uns. Es kann auch hier einen besonderen Konflikt mit Ostberlin oder der Sowjetunion aufgrund der besonderen Situation Deutschlands geben. Insofern kann ich nur zu dem Ergebnis kommen, daß der doppelte Konflikt, was die zweite These anbetrifft, eingeschränkt, nicht aber aufgehoben ist.

Olaf von Wrangel: Ich möchte bei dem Wort des Regierenden Bürgermeisters, »er ziehe Bilanz, niemand wolle zurück« anknüpfen.
Herr Schütz, dies ist eine Selbstverständlichkeit für Demokraten, daß, wenn Verträge geschlossen sind, eine Eigengesetzlichkeit eintritt und niemand zurückgehen kann. Wir müssen von dem Status quo ausgehen, den wir heute haben, dies, ich wiederhole es, halte ich für eine Selbstverständlichkeit. Es hat ja in den fünfziger Jahren beim Streit um die Pariser Verträge ähnliche Situationen mit umgekehrtem Vorzeichen gegeben.
Wenn Theo Sommer sagt, es ergibt sich aus der Staatsräson der Bundesrepublik, Verträge mit dem Osten zu schließen, so hat — wenn ich die Diskussion richtig verfolge — niemand dem widersprochen. Aber es geht doch in der deutschlandpolitischen Diskussion um die Qualität der Verträge. Und hier

hat vorhin Herr Lummer gesagt, daß man vielleicht mit längerem Atem andere Verträge bekommen hätte.

Weil ich neben Theo Sommer sitze und wir schon als Journalisten über solche Dinge diskutiert haben, darf ich vielleicht noch eins sagen: Alle diese Diskussionen, die wir über diese Probleme führen, leiden doch darunter, daß keiner in der Lage ist, den letzten Beweis für seine These zu erbringen. Dies ist die Schwierigkeit. Wir können uns natürlich nur auf das berufen, was wir wirklich wissen.

Eugen Kogon: Aber man kann die Dinge plausibel machen.

Olaf von Wrangel: Natürlich kann man das, Herr Professor Kogon.

Ich möchte, was die Vergangenheit anbelangt, wirklich nur einige wenige Bemerkungen machen über die Politik von Gerhard Schröder, weil ich mich damals viel mit diesen Themen befaßt habe. Es ist doch wohl so gewesen, daß das Konzept von Gerhard Schröder — Herr Mischnick, Sie waren damals im Kabinett — etwa stichwortartig so aufgebaut war: Man versucht's über Handelsmissionen, Kulturaustausch und als Krönung, wenn die Interessenidentität da ist, erreicht man den politischen Vertrag. Ich kann mich noch gut an eine Bundestagsdebatte vom Jahre 1969 erinnern, damals waren Sie in der Opposition, während der Großen Koalition, als es um den Generalvertragsentwurf der FDP ging. In dieser Debatte hat Herbert Wehner, dem ich sonst nicht zustimme, den für meine Begriffe klassischen, aber richtigen Satz gesagt: »Rechtstitel gibt man auch dann nicht preis, wenn man sich im Augenblick dafür nichts kaufen kann.« Herr Professor Löwenthal, nun ist doch folgendes unstrittig: Uns allen, gleichgültig, ob wir in der Opposition stehen im Augenblick oder in der Regierungsverantwortung — wir kommen ja vielleicht oder mit Sicherheit noch in die Regierungsverantwortung (belustigtes Gemurmel) —, uns allen ist doch eines gemeinsam: Wir bemühen uns um eine möglichst sichere Völkerrechtsordnung. Problematisch wird es aber da, wo die eine Seite sagt, wir müssen aufgrund von Macht oder machtpolitischen Interessen, die die Sowjetunion in Europa besitzt, die bestehenden Rechtstitel durch andere Rechtstitel ersetzen. Dies würde jede völkerrechtliche Ordnung unglaubwürdig machen, wir aber wollen eine glaubwürdige Völkerrechtsordnung erreichen.

Darf ich noch einige Bemerkungen machen zur Problematik von Begriffen überhaupt? Wir erinnern uns alle noch daran, Herr Kollege Bahr, daß es in der Bundesrepublik eine sehr allgemeine Diskussion gab über Entspannung im Kern oder an der Peripherie. Ich glaube, beides war notwendig. Aber ich glaube, daß der Entspannungsbegriff unterschiedlich verwendet wird. Für mich jedenfalls und für meine politischen Freunde sind der Entspannungsbegriff und die Entspannung untrennbar verbunden mit der Beseitigung der Ursachen der Spannungen. Wenn die Ursachen der Spannung nicht beseitigt sind, dann kann eine solche Entspannungspolitik ein gigantisches Täuschungsmanöver zu Lasten der Menschen werden.

Ich glaube deshalb, daß wir in einer solchen Diskussion nicht die Militarisierung in der DDR und damit das ständige Rüstungsgefälle zu Lasten des Westens verschweigen dürfen, auch wenn es unpopulär ist. Ich glaube auch, daß wir in der Analyse redlich genug sein und sagen sollten, daß sicherlich auch im Gegensatz zu vielleicht dem einen oder anderen Ostblockstaat die DDR sich immer noch als eine Art Speerspitze versteht. Das zeigt sie durch Vertragsbrüche.

Ich möchte dann in aller Kürze, weil man mich nach dem Verhältnis Westmächte/Bundesrepublik gefragt hat, sagen, daß wir hierin sicherlich mit der Bundesregierung einer Meinung sind. Auch wir sagen, die Einheit des Westens und die enge Kooperation mit dem Westen dürfen nicht aufhören, im Gegenteil, sie müssen ausgebaut werden. Haben Sie aber nicht, Herr Bahr, dann und wann den Anschein erweckt, als könne die Bundesregierung in die Schuhe der Westmächte schlüpfen, und damit den Westmächten den Eindruck vermittelt, als könnten sie sich aus der deutschen Verantwortung weiter zurückziehen? Es ist und muß die Aufgabe der deutschen Politik bleiben, alles zu tun, um die Westmächte in der deutschen Verantwortung zu halten.

Eine weitere Bemerkung liegt mir sehr am Herzen. Hier ist vorhin schon einmal das Zusammenspiel Regierung und Opposition angeklungen. Wir haben vielleicht vergessen, daß es ungefähr von 1961 bis 1969 doch so etwas gab wie ein großes Maß an Gemeinsamkeit in den essentiellen Fragen der deutschen Politik, aber — und dies halte ich für verhängnisvoll, weil es das Verhandlungsgewicht der Bundesrepublik

Deutschland und der Bundesregierung berührt — Herbert Wehner, und jetzt zitiere ich ihn negativ, hat auch gesagt: »Wir brauchen die Opposition nicht!« Hier hat er dann versucht, Deutschlandpolitik mit einem großen Maß an innenpolitischer Effekthascherei zu betreiben. Gerade dies ist in der Deutschland- und der Außenpolitik ganz besonders gefährlich.

Meine letzte Bemerkung: Wir sind in Kassel; es ist doch wohl erlaubt und selbstverständlich, daß eine Opposition die Regierung an dem mißt, was sie selber gesagt und was sie sich selbst an Kriterien gesetzt hat. Wenn ich mir daraufhin die zwanzig Kasseler Punkte vornehme und Punkt für Punkt abhake, dann stelle ich fest, daß in vielen entscheidenden Punkten — und wir sind damals der Bundesregierung nicht in den Arm gefallen — das, was die Regierung sich selbst als Maßstab in der Deutschlandpolitik gesetzt hat, nicht erfüllt worden ist. (Beifall.)

Egon Bahr: Das ist natürlich jetzt eine ganze Menge, worauf ich antworten muß.

Zunächst einmal, Herr Lummer, das Problem des Luftverkehrs. Wir haben dies nicht ausgeklammert, weil die Sache zu schwierig war, wie Sie gesagt haben, sondern weil die Bundesrepublik Deutschland den Luftverkehr allein weder mit der Sowjetunion noch mit der DDR regeln kann. Wir haben dies also gerade deshalb nicht getan, weil wir die Verantwortung der drei Mächte nicht schmälern wollten.

Heinrich Lummer: Herr Bahr, die Frage des Flugrechts ist eine deutsche Frage.

Egon Bahr: Aber die Flugrechte können nicht verhandelt werden, solange nicht die Landemöglichkeiten in Westberlin klar sind. Ich will das nur korrigieren. Wir haben uns da exakt so verhalten, wie Herr von Wrangel den Vorwurf gerade umgekehrt erhebt, als hätte ich den Eindruck erweckt, wir könnten in die Schuhe der Westmächte schlüpfen.

Herr von Wrangel, Sie irren! Dank den Verhandlungen der Bundesregierung hat die Sowjetunion zum erstenmal 1970 wieder seit mehr als zehn Jahren in einem völkerrechtlichen

Dokument die Rechte der drei Mächte und der vier Mächte

akzeptiert. Wir können sagen, daß die drei Mächte dies vorher versucht hatten und daß es nicht geglückt war. Wir waren froh, daß wir es erreicht haben. Aber daraus kann man nicht machen, wir hätten versucht, in die Schuhe der Westmächte zu schlüpfen.

Lassen Sie mich aber noch einmal zu dem Wehner-Zitat zurückkommen. »Rechtstitel gibt man nicht preis, selbst dann nicht, wenn man sich im Augenblick nichts dafür kaufen kann.« Dies war damals gegen einen Diskussionsvorschlag der FDP zum Generalvertrag gemeint. Und exakt diese Formulierung, auf die sich Herr Wehner bezog, ist – in voller Übereinstimmung mit dem damaligen Vorsitzenden und Außenminister der FDP — nicht mehr drin. Insofern haben Sie hier gegen etwas, was nicht passiert ist, polemisiert.

Olaf von Wrangel: Über die Bilanz müssen wir noch reden.

Eugen Bahr: Ich komme auf die Bilanz. Vorher darf ich aber noch ein Wort zu unserem französischen Kollegen sagen.
Ich erinnere mich lebhaft einer Diskussion oder einer Unterhaltung 1970 mit Ihrem Botschafter in Moskau. Der hat gesagt: »Wie lange haben Sie jetzt mit Herrn Gromyko geredet? Es ist fast egal, ob dabei etwas herauskommt oder nicht, die Tatsache allein hat die politische Landschaft in Europa insofern verändert, als die Bundesrepublik Deutschland zum erstenmal bewiesen hat, daß sie selbständig mit der Sowjetunion verhandeln kann.« Insofern muß ich Ihnen sagen, ich habe zwar verstanden, was Sie vorhin gesagt haben, aber ich habe es auch ein bißchen bedauert, denn die Bundesrepublik hat nur nachgeholt, was andere vor ihr getan haben. Die Bundesrepublik kann mittlerweile selbständig mit allen Staaten der Welt verhandeln. (Beifall.) Wenn das dem einen oder anderen nicht paßt, so bin ich sehr froh, daß sich alle inzwischen wenigstens daran gewöhnt haben, zumal alle wissen, wie Herr Sommer gesagt hat, daß die Bundesrepublik die selbstgesetzten Grenzen dabei nicht überschreitet. Dies gehört natürlich mit zur Bilanz.

Nun komme ich auf den Hinweis von Herrn Kogon zurück, was denn eigentlich negativ in den Vereinbarungen sei. Das Negative, was allen damals Beteiligten große Sorgen gemacht hat, war in der Tat, daß die internationale Position, die die

DDR erreicht hat, unrevidierbar ist. Das heißt, die Anerkennungen, die eine Reihe von westlichen Staaten, insbesondere die drei Mächte,vornehmen, sind nur dann revidierbar, wenn die DDR dazu die Veranlassung gibt. Uns beschäftigte damals die Frage, ob bei dem, was wir wollen — und da kann man in der Tat unsere Dokumente und die der östlichen Vertragspartner in den Ausgangspunkten nebeneinander legen, da schneiden wir nicht so schlecht ab —,dieser Punkt nicht auszuklammern war. Wir hätten ihn gerne ausgeklammert. Aber er war nicht auszuklammern, aus mehreren Gründen nicht. Erstens nicht im Prinzip. Denn wenn ich einmal diplomatische Beziehungen aufnehme, dann sind sie nicht einfach wieder abzubrechen. Zweitens — hier komme ich auf den Punkt der Eile oder Nichteile, auf die Frage, ob nicht bei längerer Verhandlungsdauer mehr hätte herausgeholt werden können, zurück — aus folgendem Grund nicht: Die europäischen Mächte bereiteten die Konferenz für Sicherheit und Zusammenarbeit, die KSZE vor. Diese Konferenz konnte nach Lage der Dinge nicht stattfinden, wenn nicht auch die DDR daran teilnahm. In einer NATO-Diskussion hat irgend jemand den Eindruck erweckt oder die Auffassung vertreten, man könne diese Konferenz ohne die DDR machen. Die Konferenz ist mehrfach verschoben worden. Dann war sie aber nicht mehr verschiebbar. Und ich habe in der Schlußphase des Grundlagenvertrages in Kenntnis des Termins verhandelt, an dem die DDR als akzeptierter Partner an einem internationalen Tisch zusammen mit den Vereinigten Staaten, Großbritannien und Frankreich sitzen würde — eventuell auch ohne den Grundlagenvertrag. Danach wäre die DDR unser aller Erfahrungen nach, nach menschlichen Erfahrungen überhaupt, kein bequemerer Partner geworden. Deshalb kamen wir damals zu dem Ergebnis, daß es in dieser Konstellation nicht anders ging, als zu diesem, nur zum Teil wünschbaren Ergebnis zu kommen.

Ich sage »nur zum Teil wünschbar«, eingeschränkt also deshalb, weil es natürlich auch einen Vorteil hat, daß die DDR sich den Bindungen mit unterwirft, die es bedeutet, wenn man ein international anerkanntes Mitglied der Völkergemeinschaft wird.

Und damit komme ich zu der von Herrn Gillessen angesprochenen Frage der Opfer. Ich vermag wirklich kein Opfer zu sehen. Denn den Gewaltverzicht haben wir im Prinzip schon 1954 erklärt, und zwar in bezug auf alle Grenzen, auch auf die Ostgrenzen. Ich sage Ihnen ganz offen, daß ich manchmal darauf gewartet habe, ob der sowjetische Außenminister nicht die Frage aufwerfen würde, was denn das Wort oder eine vertragliche Verpflichtung der Bundesrepublik Deutschland wert seien. Er hätte den jetzigen bilateralen Gewaltverzicht nicht unbedingt gebraucht, die Bundesrepublik war auch so völkerrechtlich gebunden, auch nach dem Osten hin. Und deshalb sind die einzigen Opfer, die wir erbracht haben, die, daß wir unsere Illusionen aufgegeben haben. (Großer, langanhaltender Beifall.)

Theo Sommer: Herr Kogon, ich möchte gerne eine Bemerkung über den Zusammenhang von Rhetorik und Redlichkeit machen. Man entdeckt bei Politikern ab und zu, daß die Rhetorik die Redlichkeit überwuchert.
Es tut mir leid, daß ich es jetzt an zwei Beispielen exemplifizieren muß, die beide aus dem CDU-Bereich kommen. Vielleicht gibt mir einer der Herren von der SPD nachher auch noch Gelegenheit dazu.
Erstes Beispiel: Die Berufung auf die Bundestagsresolution vom 17. Mai 1972. Ich glaube, die Redlichkeit gebietet es, hinzuzufügen, daß diese Resolution zwischen den Fraktionen ausgehandelt war auf der Basis einer ganz bestimmten Erwartung. Daß nämlich der Herr Vorsitzende der CDU/CSU-Fraktion die Stimmen seiner Fraktion in einem speziellen Sinne liefern würde. Und dies hat er nicht getan. (Beifall.) Damit ist die Resolution zwar immer noch, aber sie ist doch hinfällig gewesen von Anfang an.

Heinrich Lummer: Jetzt wird's aber makaber, was Sie jetzt erklären.

Theo Sommer: Makaber?

Heinrich Lummer: Makaber deshalb, weil Sie sagen, die andere Seite habe die Zustimmung der CDU erkaufen wollen mit einer Meinung, die sie inhaltlich und innerlich nicht teilte. Das behaupten Sie an dieser Stelle. Das ist von Ihrer Seite aus unredlich. Oder Sie unterstellen der Sozialdemokratie Unredlichkeit. Beides ist gleich schlecht. (Zwischenrufe aus dem Publikum.)

Theo Sommer: Ich glaube, daß es hier um ein Zug-um-Zug-Geschäft ging, um eine Gegenleistung, um einen Verzicht auf etwas, wo Ihre Leistung dann ausgeblieben ist.

Heinrich Lummer: Teilen Sie die Auffassung von Herrn Professor Löwenthal zu der Resolution?

Theo Sommer: Er hat sie dumm und verlogen genannt.
Ich teile auch seine Auffassung zum Karlsruher Urteil. Ich glaube allerdings, daß es hier die Redlichkeit gebietet, hinzuzufügen, daß dieses Urteil nicht von einem Moses in roter Robe vom Berge Sinai herabgebracht worden ist, sondern daß es das Ergebnis eines Kompromisses war, der dem Bemühen entsprang, Einstimmigkeit herzustellen. Wollte Gott, man hätte sich dieses Bemühen gespart und hätte ein klares Mehrheits- und ein klares Minderheitsvotum abgegeben! (Beifall.) Dann müßten wir diese Belastung nicht mit uns durch die nächsten zehn Jahre Innen- und Außenpolitik schleppen.

Heinrich Lummer: Ich habe weiß Gott noch nicht begriffen, wo ich unredlich gewesen bin. Sie haben doch gesagt, ich sei durch Rhetorik unredlich.

Theo Sommer: Ich habe gesagt, Politiker erliegen manchmal der Versuchung, daß die Rhetorik die Redlichkeit besiegt.

Heinrich Lummer: Ach, Sie haben mich gar nicht gemeint?

Theo Sommer: Ich habe Sie in dem einen Punkte gemeint.

Heinrich Lummer: Na, dann erzählen Sie mir doch mal …

Theo Sommer: … Sie haben verschwiegen, daß es eine Geschäftsgrundlage gab, die hinfällig war.

Olaf von Wrangel: Herr Sommer, können wir diesen Komplex nicht abschließen?

Richard Löwenthal: Ich bin nicht der Meinung von Herrn Sommer. Ich bin der Meinung, wenn man einer Resolution zustimmt, dann ist man für sie verantwortlich, auch wenn man's nicht hätte tun sollen, auch wenn die Geschäftsgrundlage eines Kompromisses zwischen mehreren Parteien inzwischen hinfällig geworden ist. So einfach kann man sich's, glaube ich, nicht machen.

Ich möchte aber jetzt, da ich vorhin explodiert bin und inzwischen Herr von Wrangel in sehr ruhiger, sachlicher und gar nicht rhetorischer Weise auf den Gedanken hingewiesen hat — er hat Wehner dafür zitiert —, daß man Rechtstitel nicht aufgibt, begründen, was ich mit meiner Explosion gemeint habe.

Es gibt verschiedene Arten von Rechtstiteln oder sogenannten Rechtstiteln oder Rechtsprinzipien. Ich bin zum Beispiel der Meinung, daß die Bundesrepublik mit gutem Grund in den Verträgen das Prinzip des Selbstbestimmungsrechts der Deutschen nicht preisgegeben hat. In dem Punkt sind wir alle einig, auch wenn man im Augenblick nichts tun kann, um ihn durchzusetzen. Einig sind wir in diesem Punkt natürlich auch mit dem Karlsruher Urteil. Es gibt aber andere Rechtstitel, die mir sehr viel zweifelhafter erscheinen. Ich bin zum Beispiel der Meinung, um das ganz deutlich zu sagen, daß wir keinerlei Rechtstitel auf die Gebiete jenseits der Oder-Neiße-Grenze haben. (Beifall und Widerspruch.) In den Verträgen von Moskau und von Warschau steht nicht nur, daß die Bundesrepublik diese Grenzen als unverletzlich, also nicht durch Gewalt änderbar ansieht, es heißt dort auch, daß sie keine Grenzforderungen geltend machen wird. Die Ausnahme liegt darin, daß ein wiedervereinigtes Deutschland nicht daran gebunden ist. Nun ist aber offenkundig klar, daß keine Konstellation denkbar ist, in der ein wiedervereinigtes Deutschland mit Zustimmung der Großmächte und mit Zustimmung seiner Nachbarn zustandekommt, ohne vorher die Verbindlichkeit der bestehenden Grenzen zu akzeptieren. Die Möglichkeit, daß ein wiedervereinigtes Deutschland diese Forderung erhebt, besteht also nicht.

Die Verträge schaffen eine Rechtsgrundlage für die bestehenden Grenzen bis zur Wiedervereinigung. Es ist nicht wahr, daß sie keine Rechtsgrundlage schaffen. Sie schaffen sie damit praktisch ad calendas graecas, weil eine Wiedervereinigung ohne Anerkennung dieser Grenzen nicht zustandekommen kann. Das ist das, was ich in diesem Satz in der Resolution für unglaubwürdig befinde.

Eugen Kogon: Das würde aber auf der Linie unserer »preisgegebenen Illusionen« liegen.

Olaf von Wrangel: Ich bin überzeugt davon, daß Herr Sommer einen in der Regel vorzüglichen Informationsstand besitzt, aber über die Rolle der CDU/CSU im Mai besitzt er offenbar einen nicht ganz so guten Informationsstand. Ich habe an diesen Verhandlungen teilgenommen. Herr Kollege Mischnick hat auch teilgenommen. Herr Kollege Mischnick, Sie werden mir doch bescheinigen, daß zu keinem einzigen Zeitpunkt die CDU/CSU-Führung gesagt hat, sie würde bei den Verträgen mit ›Ja‹ stimmen, sondern daß es in unserer Fraktion bis zum Morgen der Entscheidung eine sehr lebendige Debatte über diese Frage gegeben hat.

Wolfgang Mischnick: Ich weiß aber auch, Herr Kollege Wrangel, daß es in Ihrer Fraktion mehrere Kollegen gab, die um die Vertagung der Entscheidung baten, weil dann die Chance zur Zustimmung bestanden hätte und in der Zwischenzeit die Resolution miteinander besprochen werden konnte.

Olaf von Wrangel: Richtig, aber dies ändert doch nichts am Inhalt der Resolution, unabhängig von einem »Ja« oder »Nein« der Opposition zu den Verträgen. (Rufe im Publikum ...)

Wolfgang Mischnick: Ich nehme nur zu der Frage Stellung, was in Aussicht gestellt worden ist oder nicht in diesen Gesprächen. Dann wurde festgestellt, daß das nicht einhaltbar ist. Das soll möglich sein. Nur macht das doch deutlich, daß in dieser Frage eben eine klare Linie nicht vorhanden war. Lassen Sie es mich so hart sagen: Die CDU/CSU als Opposition war nicht voll geschäftsfähig, weil sie in zwei Hälften auseinanderbrach und nicht in der Lage war, die Dinge zu entscheiden. (Rufe, Beifall.)

Olaf von Wrangel: Herr KollegeMischnick, auch wenn Sie's als Polemik betrachten: In Parteien gibt es Meinungsverschiedenheiten ... (Zwischenrufe.)

Eugen Kogon: Herr Sommer hat da etwas heraufbeschworen, was jetzt wirklich als zu weitläufig zu werden droht ...

Theo Sommer: Ich fand das sehr interessant ...

Eugen Kogon: Schon, schon, aber ich möchte nur die Gesamtlinie unserer Diskussion nicht aus den Augen verlieren. Wir sprechen jetzt zu betont über die politische Moral von politischen Parteien.

Theo Sommer: Gut, dann aber eine reine Sachfrage: Sie haben gesagt, lieber Herr von Wrangel, gemessen an ihrem eigenen Programm, habe diese Regierung nicht das erreicht, was sie dem Volk versprochen hat. Was stand denn in den zwanzig Punkten von Kassel, und was läßt sich davon abhaken? Punkt 1 umriß einen Vertrag ...

Eugen Kogon: Bitte, Herr Sommer, jetzt nicht alle zwanzig Punkte! Auch ich habe sie hier vor mir und ich habe die fünf herausgesucht, über die man streiten könnte.

Theo Sommer: Lieber Herr Kogon, würden Sie mir also dann bestätigen, daß von den zwanzig Punkten alle abgehakt werden können bis auf einen, der heißt: »Kollisionen der Gesetzgebung sollen beseitigt werden«? Das ist noch nicht geschehen.

Eugen Kogon: Ich war etwas liberaler, ich habe fünf Punkte, bei denen die CDU möglicherweise sagen könnte ...

Theo Sommer: ... Sie sind da viel eher lasch, Herr Vorsitzender!

Eugen Kogon: Entschuldigen Sie, Herr Sommer! ... Aber im Ernst: Herr von Wrangel, es steht in der Einleitung zu den zwanzig Punkten von Kassel ausdrücklich, das heißt, Bundeskanzler Willy Brandt sagte: »Unsere Vorstellungen über

Grundsätze und Vertragselemente für die Regelung gleichberechtigter Beziehungen zwischen der Bundesrepublik Deutschland und der Deutschen Demokratischen Republik lauten wie folgt ...« Das ist keine Vertragsvereinbarung, das waren Vorschläge zu Verhandlungen über zu treffende Abmachungen.

Olaf von Wrangel: Herr Kogon und Herr Sommer, wir können über die Kasseler Punkte sprechen, wir haben sie offenbar alle vor uns liegen. Aber ich verstehe jetzt überhaupt nicht mehr, Herr Sommer: Es ist doch die Pflicht, die selbstverständliche Pflicht der Opposition, eine Regierung an dem zu messen, was sie selber gesagt hat. Mehr habe ich nicht festgestellt. Dabei habe ich die zwanzig Punkte erwähnt.

Theo Sommer: Sie haben gesagt, die habe sie nicht erfüllt. Und das stimmt nicht.

Olaf von Wrangel: Nein, hat sie auch nicht. (Lachen. Rufe.)

Richard Löwenthal: Ich muß Herrn von Wrangel wirklich in Schutz nehmen. Er hat gesagt, man muß eine Regierung an ihren eigenen Zielvorstellungen messen können.

Olaf von Wrangel: ... und da habe ich die Punkte als Beispiel genannt.

Richard Löwenthal: Eine echte Differenz haben wir mit Herrn von Wrangel über die Frage, wieviel von den in Kassel formulierten Vorschlägen, Forderungen, Erwartungen erfüllt wurde, darüber sollten wir diskutieren.

Eugen Kogon: Vielleicht doch besser von den Perspektiven, die in der jetzt gegebenen vertraglichen Situation stecken. Ich schlage vor, wenn man damit einverstanden ist, daß wir zu diesem positiven Teil übergehen.

Klaus Schütz: Eine These möchte ich noch zur Diskussion stellen, weil ich wissen will, ob ich als einziger anderer Meinung bin als Herr von Wrangel. Er hat gesagt, Entspannungspolitik verdiene nur dann diesen Namen, wenn sie die Ursachen der Spannungen beseitigt. Ich muß freimütig sagen, dies ist, so schön es auf den ersten Blick klingt, nicht meine Meinung. Vielleicht kann man das in Bonn anders sehen, ich jedenfalls muß mich auch um Schritte bemühen, die noch nicht etwas mit der Beseitigung der Ursachen der Spannung zu tun haben, und eben dies halte ich bereits für Entspannungspolitik. (Beifall.)

Ich möchte gerne wissen, ob der wohlklingende Satz die Neufassung des »Alles oder Nichts« früherer Jahre ist. Sind wir etwa jetzt wieder dabei, während wir uns auf die nächste Zeit der Bemühung vorbereiten, zu sagen, alles muß ganz so sein, wie wir es uns vorstellen, einfach perfekt, ehe wir uns darauf einlassen? Ich für meine Person gehe davon aus, daß wir auch die kommenden schwierigen Schritte höchstwahrscheinlich nur punktuell abwickeln können. Es wäre doch wichtig, festzustellen, ob wir in unserer Ostpolitik nach vier Jahren endlich davon ausgehen können, daß die These des »Alles oder Nichts« begraben ist und daß wir, vielleicht immer noch mit unterschiedlichen Kraftanstrengungen, jetzt gemeinsam vorangehen. Ich sage das, ohne auf irgendwelche politischen Auseinandersetzungen sonst einzugehen.

Ich bin ein bißchen verwirrt über das, was ich in diesen Tagen aus dem fernen China gehört habe: Mir schien, als ob dort eine Begegnung stattgefunden hätte, bei der noch einmal die fünfziger Jahre heraufbeschworen wurden. War das nur ein Gedankenausflug oder stehen wir innerhalb der Bundesrepublik vor dem Beginn einer neuen Phase der Spannungen zwischen den großen Parteien? Die Schwierigkeiten, mit denen wir es zu tun haben, liegen doch hier in Europa, in Deutschland, sie liegen auch in Berlin, dort müssen wir uns mit denen, die da drüben an der Verantwortung sind, auseinandersetzen, mit ihnen müssen wir zu Regelungen kommen. Sie werden nicht immer so perfekt sein, wie wir es uns vorstellen, aber die Frage ist, ob wir das sehen oder ob wir jetzt versuchen, die Positionen der fünfziger Jahre wiederaufleben zu lassen, weil in fernen Ländern irgend jemand aus anderen Gründen zu seinen Schlußfolgerungen und Einsichten gelangt ist.

Heinrich Lummer: Ich weiß nicht, Herr Schütz, ob Sie sich jetzt einen Pappkameraden aufbauen wollen oder ernsthaft darum bemüht sind, Entspannung zu definieren.

Wolfgang Mischnick: Aber denken Sie doch daran, was Barzel gerade vor wenigen Tagen gesagt hat!

Heinrich Lummer: Das weiß ich, gewiß doch. Nur das ferne China, glaube ich, sollten wir im großen und ganzen hier aus der Diskussion herauslassen. Interessant ist es ...

Richard Löwenthal: Wir wollen keinen Kohl aus China importieren! (Lachen am Podium und im Publikum, Beifall.)

Heinrich Lummer: Zunächst ist es doch wohl so, daß Kohl nach China exportiert worden ist und nicht umgekehrt. Sie, Herr Professor Löwenthal, haben am Anfang Ihrer historischen Betrachtung selber darauf verwiesen, daß das Interesse der Sowjetunion an bestimmten Regelungen erst seit dem Moment existiert, da China als ein selbständiger Faktor in die Weltpolitik eingetreten ist. (Beifall.) Die chinesische Karte zu spielen, sie jedenfalls nicht zu übersehen, sollte auch für die deutsche Politik angemessen sein.
Damit lassen wir jetzt China beiseite und kommen zu dem Begriff Entspannung. Ich sehe weiß Gott keinen Widerspruch ...

Egon Bahr: Aber Herr Lummer, doch nicht Erhard hat die Beziehung zu Rotchina aufgenommen, sondern Brandt.

Heinrich Lummer: Ich bitte um Verzeihung, Herr Bahr, daran ist bekanntermaßen gar kein Zweifel, es ist ein historisches Faktum. Lassen wir das jetzt mal mit China.
Herr Schütz, zum Begriff der Entspannung und ihrer Definition. Ich glaube, der Widerspruch löst sich in dem Moment auf, wenn man weiß, daß Entspannung in der Politik, wenn ich ein Fremdwort aus der Soziologie verwenden darf, ein skalierter Begriff ist: Man muß ihn auf einer Skala sehen, es gibt da mehr und weniger. Man kann eine Politik schon Entspannungspolitik nennen, ohne daß alle Ursachen beseitigt wären, die für Spannung gesorgt haben. Entspannungspolitik ist und verdient diesen Namen aber erst in dem Umfang, wie die Ursachen beseitigt sind. Man kann den Begriff verwenden, ohne daß diese Politik im vollen und ganzen Sinn des Wortes erfüllt wäre. In dieser Situation befinden wir uns nur

teilweise, nur einiges ist erfüllt, ohne daß die Spannungsursachen insgesamt beseitigt wären. Darüber hinaus, das war ja die Bemerkung des Bundeskanzlers damals, ist eben Berlin der maßgebliche Testfall dafür, wie weit es mit der Entspannung gediehen ist. Ich gebe durchaus zu, daß es Fortschritte gegeben hat, bloß kann ich nicht zugeben, und Sie werden es auch nicht tun, daß wir Entspannung bereits in dem Sinne hätten, daß ihre Ursachen beseitigt wären.

Eugen Kogon: Sind Sie damit einverstanden, Herr von Wrangel, oder gehen Sie weiter?

Olaf von Wrangel: Ich entsinne mich, Herr Schütz, daß der frühere Bundeskanzler Brandt im Zusammenhang mit einer Entspannungsdiskussion Anfang der siebziger Jahre — ich gebe das aus dem Gedächtnis, glaube ich, richtig wieder — gesagt hat, man dürfe nicht Entspannung sagen, wenn sich hinter diesem Begriff eine Nebelwand auftut, hinter der dann weiter Spannungspolitik betrieben wird.
Vielleicht können wir, damit wir hier nicht in einen Begriffsstreit geraten, sagen, es geht darum, die Spannung zu verringern. Vielleicht können wir uns darauf ...

Klaus Schütz: ... verständigen, jederzeit; Willy Brandt ...

Olaf von Wrangel: ... jetzt wollen Sie eine Globalverständigung auf Willy Brandt, das will ich auf keinen Fall. Ich habe meine Bemühung auf einen Punkt begrenzt.
Nun aber komme ich, Herr Schütz, auf die Position des »Alles oder Nichts«. Eine solche Politik hat es auch in der Zeit der sechziger Jahre nicht gegeben. Wir haben oft genug hier den Namen des Kollegen Schröder genannt. Im übrigen, auch damals gab es Verträge, Mikojan, ein ganz gewiß prominenter sowjetischer Politiker, war in Bonn, und Chruschtschow hatte einer Einladung nach Bonn folgen wollen. Es war nicht Schuld der CDU/CSU, daß er abgesetzt wurde.

Eugen Kogon: Dann wollen wir doch jetzt untersuchen, welche Ansätze Sie alle sehen, um ein Stück weiterzukommen. Herr von Wrangel, in den zwanzig Erklärungen von Kassel steht unter anderem als Punkt 3: »Die beiden Seiten sollen ihren Willen bekunden, ihre Beziehungen auf der Grundlage der Menschenrechte, der Gleichberechtigung, des friedlichen Zusammenlebens und der Nichtdiskriminierung als allgemeinen Regeln des zwischenstaatlichen Rechtes zu ordnen.«

So ganz ideal, Herr Sommer, ist das ja nicht erfüllt worden, was hier erwartet wurde! Gibt es hier auf dem Gebiete der Verbesserung der menschlichen Beziehungen — und zwar nicht nur der Besuche — Möglichkeiten und Aussichten, in absehbarer Zeit weiterzukommen?

Olaf von Wrangel: Wenn Sie mich nach der Verhandlungsmethode fragen, und das ist ja wohl das Aktuelle in diesem Augenblick, so würde ich sagen, daß wir, was Folgeverträge anbelangt, doch den Versuch machen sollten, diejenigen Verträge vorzuziehen, an denen wir ein essentielles Interesse haben. So könnte es Folgeverträge auch im Zusammenhang mit Zahlungen an die DDR geben, wo vielleicht eine Reduzierung von Unmenschlichkeiten zu erreichen wäre.

Wiederholt habe ich ferner im Parlament ein Thema ins Gespräch zu bringen versucht, das früher zwischen den Fraktionen unstrittig war: die Bemühung um einen gesamtdeutschen Dialog.

Eugen Kogon: Herr Bahr, sehen Sie eine Chance, einen Ansatzpunkt zur Wiederaufnahme eines gesamtdeutschen Dialogs?

Egon Bahr: Nein, in absehbarer Zeit nicht, weil die Grundlage unseres Verhältnisses nicht gesamtdeutsch ist, sondern wir haben es mit einem Verhältnis zwischen souveränen und gleichberechtigten Staaten zu tun. Über die nationale Frage haben wir uns nicht einigen können. Das heißt, wir haben uns in der nationalen Frage als »nicht einig« bezeichnet; wir haben gesagt, obwohl wir uns darüber nicht einigen können, werden wir unser Verhältnis auf eine Grundlage stellen, wie folgt..... Das ist die Grundlage zwischen Staaten. Ich selbst bin der Auffassung, daß es ein Verhältnis besonderer Art zwischen unseren beiden Staaten gibt. Und bei ihnen gibt es noch Sonderrechte anderer Mächte. Ansonsten ist das Verhältnis untereinander normalisiert. Was erreicht werden kann, sollte meines Erachtens nicht belastet werden durch die

Reizvokabel »gesamtdeutsch«, die so tut, als gäbe es den Grundlagenvertrag nicht.

Heinrich Lummer: Es würde jetzt die Diskussion erleichtern, wenn jeder eine Bemerkung zu dem Thema machte, welche Perspektiven es aus der Gesamtheit der Verträge gibt. Das will ich für mich gerne tun, und ich bin sicher, daß sich daran eine kontroverse, aber hoffentlich sachliche Diskussion anschließt.

Günter Gillessen: Bevor wir das Thema »Bilanz« verlassen, würde ich dazu gerne noch etwas sagen. Vielleicht gehört zu einer Bilanz der Ostpolitik doch auch eine Bemerkung über die Gefahren, die vermieden worden sind. Mit anderen Worten, über die Übel, die man befürchten mußte und die durch günstige Umstände nicht eingetreten sind. Dies ist doch ein Aspekt der Ostpolitik, der in den Gesamtkonnex hineingehört.

Ich weiß nämlich nicht, ob wir so einfach, wie wir es bisher getan haben, überhaupt von der Ostpolitik der Bundesregierung sprechen können oder ob wir nicht ein paar Unterscheidungen treffen müßten, etwa zwischen der Ostpolitik von Walter Scheel, der Ostpolitik von Willy Brandt und der Ostpolitik meines Nachbarn, Egon Bahr. Mir scheint, da gibt es einige gewichtige Unterschiede. Soweit ich sehe, hat Außenminister Scheel die Ostpolitik sehr viel mehr im Zusammenhalt des Bündnisses gesehen und betrieben. Soweit ich sehe, hat Bundeskanzler Brandt sie sehr viel mehr unter dem Gesichtspunkt der Versöhnung, des Ausgleichs, der Friedenspolitik gesehen, und soweit ich sehe, hat Bundesminister Bahr sie sehr viel mehr unter dem Gesichtspunkt der Veränderung des politischen Status quo und der Akzeptierung des territorialen Status quo gesehen. Im Unterschied zu der friedenstiftenden Rolle, in der sich Willy Brandt sah, was eigentlich eine beruhigende, beinahe statische Auffassung von Ostpolitik ist, war das dynamische Element sehr viel stärker bei Herrn Bahr ...

Eugen Kogon: Ergänzt das nicht einander?

Günther Gillessen: Es mag einander ergänzen, aber es gibt dabei natürlich auch gewisse Unterschiede in der ferneren Rich-   71 tung, wohin die Reise geht oder wohin sie hätte gehen können. Da bin ich nun in der Tat beruhigt, lieber Herr Bahr, daß ein paar der ferneren Perspektiven der Ostpolitik, die uns aus dem westlichen Bündnis hätten herausführen können in eine neue Ordnung Europas, eine gesamteuropäische, die einen Teil der bisherigen Mitglieder der beiden Bündnisse unter eine gesonderte, gemeinsame, gesamteuropäische, nicht atomar geschützte oder bewaffnete Rolle hineingebracht hätte, ausgeblieben sind. Die Gefahr Ihrer Ostpolitik, Herr Bahr, habe ich eigentlich viel weniger in den Opfern gesehen, die sie gekostet hat, auch nicht in den Unvollkommenheiten, von denen wir hier sprechen, sondern die Gefahr schien mir immer darin zu liegen, daß sie die Perspektive einer Neutralisierung Zentraleuropas eröffnete. Diese Gefahr ist, wie mir scheint, Gott sei Dank und hauptsächlich durch die sowjetische Politik selber beseitigt worden. Soweit ich sehe, hat Moskau die Chance, an dieser Stelle hier bei uns herumzubohren, nicht erfaßt und nicht begriffen. Man kann darüber nur froh sein.

Egon Bahr: Dazu muß ich natürlich doch etwas sagen. Ich will es gleich mit meiner Perspektive verbinden.

Zunächst einmal ist eine Bilanz der deutschen Ostpolitik die, daß die Sowjetunion die Anwesenheit der Vereinigten Staaten in Europa für eine unbegrenzte Zeit akzeptiert hat und daß sie sich bereit erklärt hat, die Vereinigten Staaten als permanenten Partner für alle gesamteuropäischen Veranstaltungen zu akzeptieren. Dies war neu und nicht selbstverständlich, das heißt, die Sowjetunion anerkennt, daß man gesamteuropäische Vereinbarungen nicht ohne und nicht gegen die USA abschließen kann. Und sie hat es, mindestens anders als vorher, aufgegeben, den Abzug der Amerikaner aus Europa zu verlangen.

Ich habe das alles sehr sorgfältig formuliert. Dies ist eines der Bilanzergebnisse.

Die Gefahr der Neutralisierung hat nie bestanden. Das, was heute in Verhandlungen versucht wird, sei es auf dem Gebiete der Truppenreduktion, sei es in einer gesamteuropäischen Konferenz, ist etwas anderes.

Ich fand es sehr bemerkenswert in der Analyse, als Richard Löwenthal am Anfang des Abends sagte, im Grunde sei das, was man unter deutscher Ostpolitik verstanden hat, abgeschlossen. Das ist richtig. Das bilateral zu errichtende Gebäude ist vollendet. Was jetzt kommt, ist: man wohnt darin. Und damit stellt sich der Alltag ein.

Dieses Gebäude der Verträge hat seinen geschichtlichen Sinn in dem, was es bilateral im Verhältnis zwischen uns und den anderen Staaten, mit denen wir Verträge geschlossen haben, regelt — es wäre völlig ausreichend. Aber ich hoffe, daß die Perspektive ein bißchen weitergehen kann. Ich hoffe, daß damit auch ein Hindernis beseitigt ist auf dem Wege, den diese Konferenzen nämlich gehen, parallel, wirtschaftlich und militärisch, einen Zustand in Europa herbeizuführen, in dem man Krieg ausschließen kann. (Beifall.) Dies ist meine Perspektive. (Anhaltender Beifall.) Das wäre ein Stellenwert der deutschen Ostpolitik, der über den Nutzen, den sie bilateral für uns und andere schon jetzt hat, hinausginge.

Jean-Paul Picaper: Ich möchte einen kleinen Schritt zurückgehen und auf den letzten Kasseler Punkt — ich habe den Wortlaut nicht vor Augen — eingehen, wo von menschlichen Erleichterungen, von den Kontakten die Rede war. Mir scheint, daß man die Sache immer wieder vielleicht ein bißchen zu sehr von der Warte nur der großen Staatspolitik, der Machtpolitik aus sieht. Wir dürfen nicht vergessen, daß die Politik für die Menschen gemacht werden soll. Herr Gillessen, Sie haben von mehreren Varianten der Ostpolitik gesprochen,und Herr Schütz hat als Berliner eine vierte Variante ins Gespräch gebracht: die kleinen Schritte menschlicher Erleichterungen, die wir sehr gut kennen in Berlin. Hierin ist nicht sehr viel erreicht worden. Auf diesem Gebiet ist man im Grunde genommen nicht viel weiter als zu der Zeit, als Sie, Herr Bahr, die Politik dieser kleinen Schritte in die Wege leiteten.

Hierzu eine Frage: Sie haben in Ihrem Interview mit Herrn Gaus damals im Juni 1972 in etwa gesagt: »Wir haben festgestellt, daß wir keine Politik um die DDR herum mit dem Osten machen können und auch keine Politik mit der Bevölkerung der DDR um die Regierung herum.« Haben sie nun über die Regierung der DDR und mit ihr wirklich Erleichterungen geschaffen für die Bevölkerung in der DDR? Da scheint mir doch zunächst eine unerfreuliche Bilanz vorzuliegen (Beifall), wenn auch alles andere erfreulich ist. Da kann man 73 doch noch nicht von Entspannung sprechen. Man kann von kleinen Schritten oder vom Anfang einer Deeskalierung reden, die für die westlichen Besucher gilt, aber auch das mit Maßen, jedoch nicht für die Bürger der DDR. Auch nicht für andere Bevölkerungen in Osteuropa.

Egon Bahr: Darf ich vielleicht gleich darauf antworten?
Ich gebe Ihnen zunächst recht; ich hätte mir mehr gewünscht. Aber ich erinnere an einiges, was unterschätzt wird und was vielleicht noch mit zu den positiven Seiten der Bilanz gehört. Es sind so viele Dinge selbstverständlich geworden, daß man über sie heute überhaupt nicht mehr redet. Das ist ja an sich sehr gut, aber wenn wir schon Bilanz machen, dann muß unter anderem daran erinnert werden, daß im April 1970 die ersten Telefonleitungen wieder geschaltet wurden zwischen Ostberlin und Westberlin. Dies ist ganz selbstverständlich geworden. Wir lesen heute nur noch drei Zeilen in Zeitungen (Beifall), wann der Selbstwählverkehr eingerichtet wird und für welche Ämter. Aber daß es für Menschen und ihre Verbindungen etwas bedeutet, daß man telefonieren kann, auch daß mehr Menschen herübergehen können, dies ist so selbstverständlich geworden, daß viele es vergessen haben.
Dazu hier einige Zahlen: Reisen von Westdeutschen in die DDR 1973: 2,2 Millionen, Reisen von Westberlinern in die DDR seit Januar 1972: 7,38 Millionen, Rentner, die aus der DDR zu uns kamen: erste Hälfte 1974: 507 788, »Dringende Familienangelegenheiten« ab Oktober 1972: 75 916, grenznaher Verkehr im ersten Jahr: 323 800, Transit BRD/Westberlin: 25,4 Millionen, Telefongespräche Westberlin allein täglich: 15 000.
Das sollte man eben nicht vergessen.

Klaus Schütz: Das ist gerade der Punkt: daß wir das, was wir erreicht haben, in seinem Wert auch wirklich erkennen. Ich gehe allerdings davon aus, daß wir, was Telefone, was gegenseitige Besuche betrifft, noch keine vollkommene Form erreicht haben. Aber der Grundlagenvertrag hat insofern seine Auswirkungen, als eine außerordentlich große Zahl von Besuchern, auch außerhalb derer im Rentenalter, unter dem Begriff der »dringenden Familienangelegenheiten« zu uns gekommen ist und kommt.

Die Lösung bleibt weiterhin vorerst unbefriedigend. Aber es ist etwas, das uns einige Schritte, da, wo es um einzelne Menschen geht, vorwärtsbringt.

Wie geht es weiter? Über manches muß bilateral verhandelt werden. Doch beginnt, wenn ich da anknüpfe, wo Egon Bahr stehengeblieben ist, in der Tat, und so hat er es ja auch eingeleitet, der multilaterale Prozeß der Bemühungen. Das ist der Sinn und der Grund, warum wir von der Bundesrepublik aus so viel Arbeit in die Vorbereitung und Durchführung der Konferenz in Genf über Sicherheit und Zusammenarbeit eingebracht haben.

Wir müssen den Versuch machen, in einem ständigen Gespräch und sicherlich wiederum mit kleinen Schritten allmählich zu erreichen — wir werden auch das nicht von einem Mal zum andern bekommen —, daß noch ein viel größerer Teil von Bürgern der DDR in den Westen und in die Bundesrepublik kommen kann. Das gehört mit zu dem Klima, das durch Konferenzen multilateraler Art geschaffen werden muß. Ich sehe in der Tat die Notwendigkeit für eine Reihe von weiteren Folgevereinbarungen zwischen DDR und Bundesrepublik, aber die zentrale Bemühung gerade auf diesem Gebiet, von dem eben gesprochen wird, liegt auf der Ebene der internationalen Konferenz. Deshalb tun wir alle gut daran, die Opposition eingeschlossen, die Bemühungen um diese Konferenz wirklich aktiv zu unterstützen. (Zwischenrufe aus dem Publikum.)

Wolfgang Mischnick: Natürlich ist die Zahl von 50 000 Besuchern aus der DDR in der Bundesrepublik, die nicht im Rentenalter stehen, im Verhältnis zur Gesamtbevölkerung klein. Aber das heißt, in 50 000 Fällen war es möglich, daß die Menschen zusammenkommen konnten. Wir haben mehrere hundert Fälle »Familienzusammenführung« durchführen können, die vorher nicht möglich waren.

Alles das muß weitergehen und ausgebaut werden. Es hat sich aber gezeigt, wenn man in die Zukunft schaut: Je stärker wir das Erreichte in Frage stellen, desto weniger wird es möglich sein, weiterzukommen. Wir müssen den Zusammenhang auch mit den künftigen Verhandlungen und Gesprächen sehen. Wenn wir wollen, daß weiter ausgebaut wird, dürfen wir nicht so tun, als sei nichts geschehen.

Welche Perspektiven konkret gibt es nun? Einmal den Ausbau des Besucherverkehrs. Zweitens gibt es Verhandlungen über mögliche Erleichterungen im Geldumtausch. Drittens schafft uns der Grundlagenvertrag Möglichkeiten, über den Verkehrsvertrag hinaus die verschiedensten Bereiche wie Kulturpolitik, Sport, Wirtschaft auszubauen, um damit das Gespräch beider Seiten und die Verbindung miteinander zu vertiefen. Ferner ist notwendig, daß wir dafür sorgen, daß wir bei internationalen Konferenzen — ich denke da an den berühmten »Dritten Korb« —, in denen es um die humanitären Beziehungen geht, dies alles mit einbringen.

Es wurde gesagt, vieles sei zu optimistisch betrachtet worden, man sei zu hektisch gewesen. Wir von der Koalition und wir als FDP haben indes immer gesagt, daß man in diesem Geschäft Geduld und langen Atem braucht. Wir, die wir hier in der Freiheit operieren, können nicht mit den Maßstäben messen, die für die Menschen in der DDR zwar erstrebenswert, aber zur Zeit nicht verwirklichbar sind. Es ist unbestritten, daß die Hoffnungen in der DDR insgesamt zum Teil größer waren; ebenso unbestreitbar ist es aber, daß in der DDR die Menschen genau wissen, daß man nur auf dem Weg der Verhandlungen, nur auf diesem Weg der Verträge auf Dauer weiterkommen kann. Um es etwas drastischer zu sagen: Wer immer noch glaubt, man könne Politik damit machen, daß man mit der Faust auf den Tisch schlägt, der hat nicht gemerkt, daß wir gar keinen Tisch haben, auf den wir schlagen können. Das muß man doch endlich mal einsehen. (Beifall.)

Jean-Paul Picaper: Das ist nicht die Alternative, entweder auf den Tisch zu hauen oder zu verhandeln. Die Alternative ist, was man zuerst auf die Tagesordnung der Verhandlungen setzen soll. Es scheint mir — das ist kein Vorwurf an die Bundesrepublik, sondern das gilt auch für die Europäische Sicherheitskonferenz —, daß man bereit ist, immer zuerst über die Dinge zu verhandeln, über die die Sowjetunion bereit ist zu verhandeln. Anschließend erwartet man die Verhandlungen über den Rest, den wir uns wünschen.

Heinrich Lummer: Wie ersichtlich, auch bei der Frage der Perspektiven besteht die Gefahr, daß man vom politischen Standpunkt aus die Sache entweder zu optimistisch einfärbt oder sie vielleicht zu skeptisch sieht. Ich kann nicht ganz den Optimismus von Herrn Mischnick teilen. Ich will mich aber sehr darum bemühen, bei der Beantwortung dieser Frage so realistisch wie möglich zu sein. Das heißt, ich will mich darum bemühen, diese Frage zu beantworten, jetzt nicht mehr unter dem Gesichtspunkt der Kritik, die sich auf die vergangene Situation bezog, sondern einfach nach dem Motto, »das Beste aus dem Gegebenen zu machen«.

Betrachte ich von daher die Frage der Möglichkeiten, dann gibt es zunächst einmal eine wesentliche Überlegung, die Abhängigkeiten schafft: die Frage nämlich, wie sich in Europa die machtpolitische Situation entwickeln wird. Wenn es so weitergeht, wie es im letzten Jahr oder in den letzten zwei Jahren sichtbar wurde, daß die Sowjetunion ständig ihre Macht ausbaut, auch ihre militärische Macht, der Westen aber nicht Schritt hält, dann besteht in der Tat die Gefahr, daß diese Machtdominanz, diese hegemoniale Funktion und Rolle der Sowjetunion zwar nicht in einen Krieg mündet, wohl aber in eine Erpressungspolitik, wie wir es in der Vergangenheit erlebt haben. Hier hängen die Perspektiven im wesentlichen von der Entwicklung des machtpolitischen Gleichgewichts in Mitteleuropa ab, das heißt auch von der Rolle der Vereinigten Staaten und der Europäischen Gemeinschaft. Das muß man vorweg sagen.

Die Frage der Perspektiven ist einmal eine Frage, die sich auf Befürchtungen bezieht, zum andern eine Frage, die sich auf denkbare Hoffnungen bezieht.

Was befürchte ich? Zunächst einmal für Berlin, daß nach der Auseinandersetzung um das Umweltbundesamt — ich beziehe mich jetzt direkt auf Äußerungen von Herrn Bundeskanzler Schmidt und Herrn Minister Apel — die Weiterentwicklung der Bindung Berlins an den Bund, sofern Bundespräsenz inbegriffen ist, fast ausgeschlossen sein wird. Jene Äußerungen waren ein solches Entgegenkommen von Apel und von Schmidt an den sowjetischen Standpunkt, daß man dies bedauerlicherweise sagen muß.

Sehr befürchtete ich ferner, daß ein gut Stück der Praxis des Wohlverhaltens erhalten bleibt. Nur einmal ein Beispiel dafür, daß auch auf der anderen Seite parteipolitische Gesichtspunkte eine Rolle spielen können: Ich habe die Äußerungen Herbert Wehners in der Sowjetunion, wir dürften das Abkommen oder die Vereinbarung über Berlin nicht überziehen, genau bedacht, habe auch mit ihm darüber korrespondiert; nach der Analyse mußte ich zu dem Ergebnis kommen, daß er seine Äußerungen getan hat, weil er weiß, daß man von den Vereinbarungen nicht zuviel verlangen darf, weil sonst in der innenpolitischen Situation Hoffnungen geweckt würden, die mit Sicherheit enttäuscht würden. Er will unsere Forderungen an die Vereinbarungen minimalisieren, damit er den publizistischen Erfolg der SPD optimieren kann. Von daher habe ich die Befürchtung, daß Sozialdemokratie, wenn sie sich von diesem Satz Wehners leiten läßt, nicht in der Lage sein wird, die strikte Einhaltung und volle Anwendung der Abkommen zu gewährleisten. (Beifall.)

Der nächste Punkt ist der: Berlin muß sich darauf einrichten, auch in Zukunft mit Konflikten zu leben. Es gibt keine gesicherte Krisen- und Konfliktfreiheit. Das ist bedauerlich. Es bedeutet etwas für die politisch-psychologische Situation. Hier müssen wir den Berlinern einiges abverlangen. Sie können nicht in der selbstverständlichen Sicherheit und Ruhe leben, wie das anderswo der Fall ist.

Nun aber zu den positiven Möglichkeiten. Wir haben uns in den letzten Monaten, in den letzten zwei Jahren gerade bei den Berlin-Vereinbarungen sehr damit herumschlagen müssen, die eingetretenen Verschlechterungen wie Zwangsumtausch, Zugangswege und so weiter wieder rückgängig zu machen. Wir sind gar nicht dazu gekommen, die dynamischen Ansatzpunkte in den Vereinbarungen sinnvoll auszuschöpfen. In jeder Vereinbarung, ob Besuchsregelung, ob Transitverkehr, ob Grundlagenvertrag, überall gibt es Klauseln, die eine Dynamik ermöglichen. Wir sind verpflichtet — und das richtet sich wirklich an beide Adressen, ich glaube, ich habe meinen Teil dazu getan und wir in Berlin auch, ich glaube nicht, daß die Bundesregierung alles getan hat, was möglich ist —, alles zu versuchen, diese dynamischen Ansatzpunkte offensiv in Anspruch zu nehmen und uns nicht nur damit herumzuschlagen, etwas abzuwehren von den Vereinbarungen. Das ist eine wichtige Aufgabe, dazu, Herr Bahr, gehört auch der Versuch, die Luftverkehrsverhandlungen nicht einfach liegen zu lassen. Da kann man sich auch nicht herausreden mit alliierten Rechten, hier geht es auch um spezifisch deutsche Probleme.

Der nächste Punkt ist kritischer Natur, da gibt es wieder Meinungsverschiedenheiten. Doch sollten wir hierin wieder zu alter Gemeinsamkeit zurückfinden. Wir haben früher die Verletzungen von Menschenrechten in Deutschland gemeinsam vor der Weltöffentlichkeit und vor den Vereinten Nationen zur Sprache gebracht, alle Parteien gemeinsam, zum Beispiel über das Kuratorium »Unteilbares Deutschland«. Im letzten Jahr, in den letzten zwei Jahren war es nicht mehr möglich, dies zu tun. Ich glaube, wenn wir weiterkommen wollen in der Erfüllung der entsprechenden Kasseler Passage oder mit der Menschenrechtskonvention oder mit dem Bürgerrechtspakt, der nun abgeschlossen ist, wenn auch noch von einigen nicht ratifiziert, dann müssen wir bereit sein, vor der Weltöffentlichkeit diese Fragen der Verletzung der Menschenrechte auszuspielen und nicht Rücksicht zu nehmen auf vermeintliche Positionen Ostberlins. Sie müssen mit diesen Verletzungen (Beifall) vor der Weltöffentlichkeit konfrontiert werden. Nur dann, glaube ich, haben wir eine Chance, in diesem Punkt die Verhältnisse ein wenig zu verbessern.

Wenn man dies so sagt, ergibt sich eine Fülle von konkreten Aufgaben für unsere Politik. Ich glaube, es wäre an der Zeit, hier den Versuch zu machen, die Dinge gemeinsam anzufassen, weil ja doch immer eine Gefahr des Scheiterns auch dadurch gegeben ist, daß die andere Seite den einen bei uns gegen den anderen auszuspielen vermag.

Sie, Herr Bahr, und auch Herr Brandt haben in vielfältiger Weise im Hinblick auf die Ostpolitik gesagt, man müsse,unbeschadet vorhandener Gegensätze, dies oder das tun. So sage ich es hier: Unbeschadet vorhandener und unterschiedlicher Auffassungen über Vertragsabschlüsse und Vertragsinhalte sollten wir gemeinsam den Versuch machen, im Interesse des Landes alle Möglichkeiten auszunutzen, die vorhanden sind, und nicht einfach ständig aus dauernder Wohlverhaltensrücksicht diese deutschen Fragen hintanstellen. (Beifall.)

Richard Löwenthal: Ich möchte Herrn Lummer in einem Punkt zustimmen und in einem anderen teilweise widersprechen.

Zustimmen möchte ich ihm, wenn er von den militärischen Kräfteverhältnissen als einem wichtigen Faktor spricht. Auch ich glaube, daß Verträge auf die Dauer nur dann etwas wert sind, wenn die Kräfteverhältnisse einigermaßen stabil sind. Kein Vertrag wird uns schützen, wenn wir in eine Situation kommen, wir, das heißt der ganze Westen, daß man uns beliebig erpressen kann. Und in diesem Punkte haben wir ein sehr wichtiges Interesse daran, daß die großen Rüstungsverhandlungen ernst, zielbewußt und sorgfältig geführt werden und die notwendigen Dinge geschehen, damit man sich nicht einfach überrunden läßt.

Der Punkt, wo ich den Akzent anders setzen möchte, ist der, den auch schon Herr von Wrangel vorhin angeschnitten hat, als er sagte, wir müssen in den Verhandlungen mit der DDR durchsetzen, daß die Folgeverträge vorankommen, an denen wir das meiste Interesse haben, und Herr Lummer jetzt, wenn er sagt, wir müssen offensiv die Dinge weiterentwickeln.

Was ist das Problem? Das Problem ist, daß unter allen Oststaaten aus Gründen, die wir kennen, die DDR der schwierigste, der widerwilligste, der widerstrebendste Partner ist. Können wir die DDR durch Druck dazu zwingen, dieses Widerstreben aufzugeben? Ich sehe nicht, durch welchen Druck. Der ganze Sinn der Politik ist, in ein anderes Verhältnis zur DDR zu kommen unter Aufrechterhaltung unserer Kraft, aber nicht primär durch Druck, sondern primär dadurch, daß man ihnen selbst ein Interesse an diesem anderen Verhältnis gibt. Das ist der ganze Sinn der neuen Politik mit ihnen. Damit haben wir das Bescheidene erreicht, was von ihnen bis jetzt zu erreichen war, und das gilt auch für die Zukunft.

Die Hauptfrage ist also nicht, knallen wir denen jetzt noch eine Bundesbehörde in Berlin hin, sondern die Hauptfrage ist, finden wir Wege, um die DDR dazu zu bringen, daß sie sagt: Es lohnt sich, das Risiko von ein bißchen mehr Kontakt zu schlucken, weil auch wir daran in diesem oder jenem Punkte materiell interessiert sind. Das ist keine Frage der Priorität für die Dinge, die uns interessieren, sondern es ist eine Frage des Zug-um-Zug, es ist eine Frage der sorgfältig ausgewogenen Politik des Verhandelns, des Forderns und Anbietens. Nicht nur des Forderns und selbstverständlich nicht nur des Anbietens! Es ist auch eine Frage von Wohlverhalten, Wohlverhalten in dem Sinne, daß man nichts Böses sagt; das beeindruckt die Leute gar nicht, das würde nur als Zeichen von Schwäche wirken. Wenn harte Dinge drüben geschehen, müssen wir sie beim Namen nennen. Aber es ist eine Frage des Appells an ihre eigenen Interessen und eines wirklichen Bemühens. Nehmen wir die Frage des Luftverkehrs. Gibt es etwas, was wir dagegen bieten können, daß wir mehr Luftverkehr für Berlin entwickeln wollen? Gibt es etwas, wo wir denen ein Interesse daran geben können? Gibt es einen Weg, um ihnen ein Interesse meinethalben an internationalen Konferenzen oder Institutionen in Berlin zu geben, die gleichzeitig in Westberlin und in Ostberlin arbeiten, oder dergleichen mehr?

Das scheint mir die Richtung zu sein, in der wir mühsam, langsam, aber zäh versuchen können, den gewonnenen Spielraum etwas zu erweitern.

Eugen Kogon: Das wäre der schrittweise Versuch zu positiver Übereinstimmung von Interessen. Würden Sie einschließen, daß es dabei auch die Möglichkeit geben könnte, den Behörden oder der Regierung der DDR klarzumachen, daß sie unter Umständen auf bestimmte Dinge im Verkehr mit uns verzichten müssen, wenn sie nicht eine solche Interessenübereinstimmung suchen? Politik in Richtung »Druck« also.

Richard Löwenthal: Selbstverständlich. Wenn bei ihnen erst einmal ein Interesse vorhanden ist, kann man das auch umkehren.

Olaf von Wrangel: Ich muß noch einmal kurz auf die Ausführungen von Herrn Kollegen Bahr zurückkommen.
Ich bin der Meinung, daß wir in der Tat möglicherweise den Krieg in Europa ausgeschlossen haben. Aber ich glaube, dies hängt nach wie vor angesichts der Aufrüstung im Ostblock von der Sicherheitsgarantie unserer westlichen Freunde ab.
Wir haben sicherlich heute abend — und das empfinde ich als gut — den Versuch einer hier und da redlichen Bestandsaufnahme gemacht. Das ist auch in Bundestagsdebatten schon angeklungen, daß eine solche Bestandsaufnahme erfolgen sollte — ohne Schönfärberei, aber auch ohne daß irgend jemand zu hohe Erwartungen an das stellt, was vielleicht im Bereich des Möglichen liegt.
Nun ist es sicherlich notwendig, bei einer Bilanz auch zu sagen, was trotz der Bekundungen, wenn man die Begleittexte

der Verträge durchsieht, nicht gelungen ist. Ich denke dabei vor allem beispielsweise an die rückläufigen Zahlen bei der Familienzusammenführung in Polen. Dies ist eine Sache, die uns alle besonders beschwert. Auch hier können wir sagen, daß es Perioden in der Vergangenheit gab, wo dies günstiger ausgesehen hat.

Bei einer Analyse der Situation in Europa, in der Bundesrepublik und in der DDR möchte ich aber auf einen Punkt ganz besonders hinweisen. Und dies, Herr Professor Löwenthal, verstehe ich nun nicht als einen formalistischen Auftrag, sondern als einen selbstverständlichen demokratischen Auftrag der Bundesrepublik Deutschland: nämlich die moralische Vertretungspflicht wahrzunehmen und damit für die Freiheit aller Deutschen einzutreten, gleichgültig ob wir formale Verträge haben oder nicht. Wenn dies aber so ist, dann muß ich natürlich die Frage stellen: Bringe ich durch vielleicht in der Anlage falsche Verträge die DDR in eine Situation, die es ihr erlaubt, es uns schwerer zu machen, diesen Auftrag zu erfüllen?

Was Berlin betrifft, möchte ich den Ausführungen von Herrn Lummer nur noch einen Hinweis hinzufügen. Eine Tatsache bedrückt mich besonders: Nahezu bei jeder sich jetzt bietenden Gelegenheit wird nichts darüber gesagt — über den Prager Vertrag wurde, jedenfalls solange ich dabei war, gar nicht gesprochen —, daß die Außenvertretung Westberlins unbefriedigend geregelt ist, womit ein negatives Präjudiz geschaffen ist für alle anderen Verträge, die uns möglicherweise noch bevorstehen. Dasselbe gilt für die Schwierigkeiten, die wir mit dem Rechtshilfeabkommen haben.

Eine letzte Bemerkung zur Konferenz für Sicherheit und Zusammenarbeit in Europa. Ich glaube nicht, daß es irgend jemanden an diesem Tisch gibt, der nicht ein Interesse am Gelingen der KSZE hat, daß der sogenannte »Dritte Korb« tatsächlich darin zum Zuge kommt. Das wollen wir alle. Nur sollte man dabei einmal besonders betonen, daß nichts schlimmer wäre als eine große Schaustellung, ohne in der Sache etwas erreicht zu haben. Schaustellungen in der Politik sind immer gefährlich.

Eine allerletzte Bemerkung: Ich glaube, wenn es um Folgeverträge geht, sollten wir daran denken, daß künftig im weiten Bereich der Zahlungen an die DDR der Versuch gemacht wird — und ich drücke mich noch einmal vorsichtig aus —, dies in Verbindung zu bringen mit Kooperationsvorhaben, die Westberlin und der Bundesrepublik zugutekommen.

Wolfgang Mischnick: Ihre letzte Forderung ist in einem Fall, den wir in diesen Tagen erlebt haben, durchaus bereits realisiert, und wir bemühen uns, in dieser Richtung weiterzugehen.

Herr Kollege Lummer, Sie sprachen davon, daß die gemeinsame Basis beispielsweise im »Kuratorium Unteilbares Deutschland« seit zwei Jahren nicht mehr vorhanden sei. Ich muß dazu feststellen, daß wir sowohl in diesem als auch im vergangenen Jahr sehr wohl in der Lage waren, zwischen Opposition und Koalition zu gemeinsamen Erklärungen zu kommen. Ich muß allerdings auch feststellen, daß, wenn wir die gemeinsamen Erklärungen erreicht hatten, es dann immer wieder einige Ihrer Freunde gab, die dies nicht mit akzeptieren wollten. Das ist die Schwierigkeit. Ich würde es sehr begrüßen, was Herr Kollege von Wrangel sagte, wenn es möglich wäre, von einer gemeinsamen Basis auszugehen. Das heißt aber, daß dann eben nicht ständig, wenn dieser oder jener Rückschlag erfolgt, die gesamte Politik, wie sie in der Zwischenzeit betrieben worden ist, immer wieder in Frage gestellt wird. Dies muß vorbei sein. Die Opposition kann bei den Punkten, die noch nicht erfüllt sind, mit ihrem Drängen natürlich eine gute Aufgabe erfüllen. Aber sie wird nur dann als Unterstützung in unserem gemeinsamen Interesse wirken, wenn nicht immer der Verdacht dahintersteht, damit in Wahrheit die gesamte Politik wieder negieren zu wollen. Es kommt darauf an, die gemeinsam geschaffene Basis auch gemeinsam zu vertreten und nicht in die Positionen vor den Verträgen zurückzufallen.

Eine letzte Bemerkung: Selbstverständlich sollen keine zu hohen Erwartungen geweckt werden. Nur gehört dazu auch, daß man nicht, wir haben das leider oft bei aktuellen Anlässen im Bundestag erlebt — Sie würden mir das, Herr Kollege von Wrangel, vielleicht unter vier Augen zugestehen —, zum unrechten Zeitpunkt Dinge in die Debatte wirft, die in der Sache nicht weiterführen. Wiederholt haben wir über Fragen humanitärer Natur gesprochen, dann aber doch mit dem Er- 83 gebnis, daß in Gang befindliche Gespräche keineswegs gefördert wurden.

Olaf von Wrangel: Die Opposition ist doch keine Hilfstruppe der Bundesregierung.

Wolfgang Mischnick: Natürlich sollen Sie nicht eine Hilfstruppe für die Bundesregierung sein. Wenn es aber um humanitäre Dinge für alle Menschen geht, dann muß auch die Opposition ihre Oppositionsrolle zurückstellen. (Starker Beifall.) Ich will das Beispiel hierfür nennen: Als es um die Frage ging, daß Journalisten von drüben nicht so behandelt wurden, wie wir es für richtig hielten, war eine aktuelle Sitzung im Bundestag notwendig. Da haben wir die Dinge mit aller Schärfe gemeinsam gesagt, und es hat seine Wirkung gehabt.
Worauf es mir ankommt, ist, daß in jedem Einzelfall abgewogen wird, ob die Instrumente, die wir einsetzen, im gemeinsamen Interesse liegen oder nicht. Das ist nicht immer der Fall gewesen. Das sollten wir in Zukunft stärker als bisher tun.

Eugen Kogon: Herr Picaper, ehe wir die Debatte an unsere Zuhörer im Saal weitergeben, haben Sie, da Sie sich zu den möglichen Perspektiven aus den Verträgen noch nicht geäußert haben, das Wort. Als letzter wird Ihnen Theo Sommer folgen.

Jean-Paul Picaper: Worauf beruht die Hoffnung, daß sich die neue Ostpolitik günstig weiterentwickeln wird? Offensichtlich auf der Feststellung, die Professor Löwenthal formuliert hat, daß die andere Seite Interessen hat, die man erkennen, verstehen und ausnutzen muß, damit sie sich mit den eigenen Interessen irgendwann einmal in einem Kompromiß decken. Ist man aber sicher, daß man die Interessen der anderen Seite gut versteht? Und gibt es unlösbare Interessenkonflikte, die nicht überbrückt werden können?
Natürlich kann man bestimmte Dinge erkaufen, man sollte jedoch die eigene Verkaufs- und Kaufkraft nicht überschätzen. Wenn der Preis zu hoch, das heißt, wenn die eigene Substanz angegriffen wird, muß man aufhören. Solche Schwierigkeiten können sich in der künftigen Entwicklung ergeben.

84 Die Wahrnehmung sowohl der eigenen Interessen als auch

derer der anderen Seite kann durch einen politischen Klimawandel erschwert werden. Änderungen an den Rechtszuständen schaffen auch Änderungen in den Tatsachen, und die politischen Tatsachen ihrerseits sind stark meinungsabhängig — ganz unabhängig von den Machtverhältnissen. Die Sowjetpolitik arbeitet auf beiden Ebenen, auf der rein machtpolitischen und auf der Verhandlungsebene, bei der es um Begriffe geht. Man hat da eine allmähliche Abwertung bestimmter Begriffe, die wir in früheren Jahren für wichtig hielten, feststellen müssen.

Ich beziehe mich nur auf das Wort »Freiheit« als Beispiel. Man hat seinen Wert teilweise durch einen anderen Begriff ersetzt: »Frieden«. Eine Kombination beider Begriffe wäre mir lieber, als daß der eine Begriff vernachlässigt oder fallengelassen und der andere hochgespielt wird, weil Friede der östlichen Terminologie entspricht. (Beifall.)

Theo Sommer: Ich wollte eigentlich nur zwei Bemerkungen machen, eine zur Natur der Entspannung und eine zu den Grenzen der Entspannung. Darüber haben wir noch gar nicht gesprochen.

Erstens, Entspannung ist nie total, sondern immer nur partiell. Und ich finde, es reicht, wenn heute weniger Spannung besteht als beispielsweise 1961. Es hat inzwischen in der Tat ein Stück Entspannung stattgefunden, auch wenn die heile Welt noch nicht da ist. Entspannung setzt dem politischen Wettbewerb Schranken, aber sie schafft diesen Wettbewerb nicht ab. Ich meine, das muß man auch sehen. Die Politik hört nicht auf.

Zweitens, Beseitigung der Spannungsursachen, das klingt in verschiedenen Ohren ganz verschieden. Ich weiß, wir alle haben zu irgendeinem Zeitpunkt nach dem Kriege gesagt, es wird keinen Frieden geben in Europa, ehe die Deutschen wiedervereinigt werden. Da haben wir umlernen müssen, weil all unsere Nachbarn, östliche wie westliche, die größere Gefahr für den Frieden darin sahen, daß wir uns wiedervereinigen, nicht darin, daß wir geteilt bleiben. (Beifall.) Man muß das in aller Nüchternheit erkennen.

Wir haben im übrigen, indem wir die Wiedervereinigung ins Belieben der Geschichte stellen und uns vorläufig in das Los der Teilung schicken, hier ein Opfer gebracht für den Frieden 85 in Europa, ähnlich wie die Sachsen im Jahre 1815 auf dem Wiener Kongreß, als das Königreich geteilt wurde. Das war damals die Basis eines Kompromisses, der dem Kontinent ein halbes Jahrhundert Frieden gebracht hat.

Wir haben in diesem Entspannungsprozeß, der jetzt vor sich geht, ganz bestimmte westdeutsche Interessen gegenüber der DDR. Wir müssen zusehen, daß in die allgemeine Entspannung, wenn sie weitergeht, die deutsch-deutsche Entspannung eingebaut bleibt und daß wir beiderlei Deutschen nicht in einem privaten Kalten Krieg eingefroren verharren.

Das, was Entspannung auf lange Sicht bringen kann, und es ist ja ein auf lange Sicht angelegter Prozeß, ist nicht etwas, das allein von uns abhängt, sondern etwas, das eingebettet sein wird, sein muß in den größeren Prozeß des Wandels der Verhältnisse insgesamt zwischen Ost und West.

Das bringt mich auf ein paar Gedanken, die hier noch nicht erwähnt worden sind. Ich glaube, man muß sich einmal klarmachen, daß Entspannung nicht auf alle Fälle oder unter Garantie den gewünschten Effekt bringen wird. Es gibt da Grenzen und Risiken, die mir vor allem auf der östlichen Seite zu liegen scheinen. Eine Risikogrenze liegt in der ungeheuren Betonung, die man drüben heute, im ganzen Ostblock, dem ideologischen Klassenkampf gibt. Ich kann mir nicht vorstellen, daß auf die Dauer Kooperation möglich sein soll, solange die offizielle, halboffizielle, parteioffizielle Verteufelung des westlichen Kooperationspartners anhält. Das geht auf die Dauer nicht gut.

Eine Begrenzung der Möglichkeiten der Entspannung sehe ich auch in der wirtschaftlichen Leistungsfähigkeit und in der wirtschaftlichen Organisation des östlichen Systems. Sie sind dort bis heute keineswegs voll kooperationsfähig. Sie sind viel zu schwerfällig in ihren wirtschaftlichen Planungsprozessen. Und sie sind viel zu sehr darauf angewiesen, daß wir ihnen a) das finanzieren, was sie wollen, b) dann das abkaufen, was sie damit herstellen. Das ist auf lange Sicht keine Basis für Kooperation. (Beifall.) Hier müssen wir ganz offen sagen, daß die drüben sich erst einmal kooperationsfähig machen müssen — so wie Jugoslawien das zum Beispiel in den vergangenen zehn Jahren getan hat.

Ferner gibt es natürlich immer die Möglichkeit, daß die zurückgedrängten maximalen Zielvorstellungen drüben irgendwann einmal wiederaufleben. Es gibt ja auch bei uns Leute, die ab und zu noch auf ihre alten Maximalvorstellungen zurückfallen. Sicher sind drüben Gruppen vorhanden, die meinen, man müsse die Amerikaner vom europäischen Kontinent verdrängen, man müsse die Europäische Gemeinschaft spalten, man müsse versuchen, jede sich bietende Gelegenheit gegen uns auszunutzen, gesellschaftspolitische Konflikte bei uns im Inneren oder auch außenpolitische Gelegenheiten, zum Beispiel, wenn Tito stirbt und in Jugoslawien Schwierigkeiten entstehen sollten.

Das alles muß gesehen werden. Gleichwohl sind das keine Argumente gegen den Versuch, Entspannung, soweit es geht, weiterzubetreiben. Letztlich ist der eigentliche Bestimmungsfaktor der russischen Politik nicht der Wille der Sowjets selbst, sondern das, was wir wollen. Nicht darauf, was die Sowjets anstreben, kommt es an, sondern vornehmlich darauf, was wir selber anstreben und was wir ihnen erlauben, wozu wir sie durch Schwäche verführen oder woran wir sie durch Stärke hindern.

Herr von Wrangel hat es vorher schon angedeutet: Entspannung ist ein Prozeß, der der Absicherung durch Gleichgewicht bedarf. Auch Professor Löwenthal hat das gesagt. Sie entbindet uns nicht davor, auf der Hut zu sein.

Sie kennen vielleicht die Geschichte, die ein westlicher Botschafter in Moskau zu erzählen pflegte, von dem russischen Bauern, der am Wegesrand in einer kalten Winternacht einen halberfrorenen und halbverhungerten Vogel fand. Er nahm den Vogel in die Hand und setzte ihn ein paar Schritte weiter in einen dampfenden Kuhfladen. Da wärmte sich der Vogel auf, fand wohl auch ein paar Körner oder Halme und sättigte sich etwas, worauf er anfing, ganz fröhlich zu trillern. Da kam ein Wolf, pirschte sich heran und fraß den Vogel. — Die Moral von der Geschichte, wie der Botschafter sie formuliert hat, war immer: Erstens, wer dich reinbringt, ist nicht unbedingt dein Feind. Zweitens, wer dich rausholt, ist nicht unbedingt dein Freund. Und drittens, wenn du bis zum Halse drinsteckst, sollst du nicht in den höchsten Tönen zwitschern. (Beifall.)

Man könnte, wenn man die weltpolitische Landschaft betrachtet, das im Hinblick auf die Entspannung auch anders formulieren: Erstens, rein praktische Lösungen haben mitunter ihre Mucken, Herr Bahr weiß das. Zweitens, alle Regelungen diesseits des Gefressenwerdens tragen vorläufigen Charakter. Und drittens, gerade wer sich entspannt fühlt, muß auf der Hut bleiben, damit es ihm nicht an den Kragen geht. (Lachen und Beifall.)

Diskussion mit Rednern aus dem Publikum

Es folgte eine Stunde Meinungsaustausch zwischen Forums-
zuhörern und den Podiumsteilnehmern. Zwölf Redner melde-
ten sich zu Wort.
Die Stellungnahmen führten teilweise vom Thema ab, teilwei-
se wiederholten sie sich. An einigen Stellen waren die Beifalls-
oder die Mißfallensäußerungen so heftig, daß die Argumen-
tationen nicht mehr verstanden werden konnten. Es kam da-
her kein durchgehend regelrechtes Bandprotokoll zustande.
Nachfolgend sind Antworten, Bemerkungen, Erläuterungen
vom Podium zu Fragen, Einwänden oder Bestätigungen aus
dem Publikum wiedergegeben.

Warum zählt Herr Bahr nicht die Guillaume-Affäre und den
Schießbefehl zu den Negativen?

Egon Bahr: Was ich über Herrn Guillaume denke, brauche ich
hier wahrscheinlich nicht auszuführen; das ist bekannt, oder
man kann es sich vorstellen. Wir sind da wahrscheinlich alle
einer Meinung. Bloß, ich kann die Affäre nicht zu einer Bilanz der vier Jahre seit Erfurt und Kassel rechnen. Als der
Spion hierhergeschleust wurde, gab's eine CDU-Regierung.
(Erregte Zwischenrufe.)
Ich muß doch sehr bitten, meine Damen und Herren, daß
man bei den Fragen, die gestellt werden, auf dem Teppich
bleibt. Auch der Schießbefehl ist nicht das Ergebnis der Verträge. Er ist eingeführt worden zu einer Zeit, in der es bei uns
eine ganz andere Regierung gab. Die ist offenbar viel fester,

viel mannhafter, viel mutiger, viel härter aufgetreten, wie? Aber sie hat den Schießbefehl nicht abgeschafft. Und wir haben ihn auch nicht abgeschafft. Leider noch nicht!

Heinrich Lummer: Ich muß mir eine Bemerkung zu Herrn Guillaume erlauben, Herr Bahr, beziehungsweise zu Ihrer Stellungnahme dazu. Herrn Guillaume der CDU anzulasten ...

Eugen Kogon: Das hat Herr Bahr doch nicht gesagt ...

Heinrich Lummer: Ich bitte um Entschuldigung, das hat im Saal jedermann so verstanden. Herr Bahr, es ist doch nicht die Frage, wann Guillaume in die Bundesrepublik eingeschleust wurde, sondern die Frage ist, ob Leichtfertigkeit im Spiel war, als man ihn ins Kanzleramt einstellte. Das ist die entscheidende Frage.

Egon Bahr: Aber das gehört sicher nicht zur Bilanz der letzten vier Jahre Ostpolitik.

Richard Löwenthal: Ich glaube, die Frage hat gemeint, solche Dinge wie Guillaume und der Schießbefehl zeigen den unveränderten Grundcharakter des DDR-Regimes, seine unveränderte Feindseligkeit, seine unveränderte Brutalität. Das war der Sinn der Frage. Die Antwort darauf, die Bahr gegeben hat, hat doch offenkundig den Sinn, zu sagen, es gibt Dinge, die sich verändert haben, und es gibt Dinge, die sich nicht verändert haben. Zu den Dingen, die sich nicht verändert haben, die es vorher gab und die es heute gibt, die es auch in Zukunft geben wird, ist, daß sie Spione hier haben, wie alle Länder hier Spione haben.

Unter den konkreten Ursachen der Spannungen sind die Militärbündnisse nicht genannt worden.

Heinrich Lummer: Ich bin gegenteiliger Auffassung, wenn gesagt wird, die Ursache der Spannungen seien die Militärbündnisse. Die Militärbündnisse waren ein entscheidender Grund dafür, daß aus dem Kalten Krieg kein heißer geworden ist. Sie spiegeln das Gleichgewicht der Kräfte in

Europa wider, und dieses Gleichgewicht ist eine wesentliche Voraussetzung dafür gewesen und geblieben, daß wir in Europa so etwas haben, das man kalten Frieden oder auch ein bißchen Entspannung nennen kann.

Eine verbliebene Ursache der Spannung ist, daß man die deutsche Grenze nicht von einer zur anderen Seite frei überschreiten kann, daß sie nicht offen ist für Informationen, für Menschen und für Meinungen, sondern daß an dieser Grenze nach wie vor geschossen wird. Daß die Menschenrechte in diesem Lande nicht realisiert werden, ist eine der Spannungen, die geblieben ist.

Olaf von Wrangel: Die kalten Krieger sitzen jenseits der Demarkationslinie. Ich muß mich auch im Namen meiner hessischen Freunde energisch dagegen verwahren, daß irgendeiner als kalter Krieger bezeichnet wird. (Es war auf Herrn Dregger verwiesen worden.)

Verträge mit dem Osten — ja, aber doch nicht Preisgabe unserer Rechtsansprüche.

Richard Löwenthal: Es werden zwei Sachen, die ich gesagt habe, durcheinandergebracht.

Ich habe nicht den Anspruch auf die Ostgebiete als juristischen Quark bezeichnet. Ich habe einmal von juristischem Quark gesprochen im Zusammenhang mit einer bestimmten Rabulistik des Urteils des Karlsruher Gerichts, und ich habe zum andern gesagt, daß nach meiner Überzeugung ein Rechtsanspruch auf die Gebiete östlich der Oder-Neiße nicht existiert. Ich habe mich da nicht abschätzig ausgedrückt, aber ich habe diesen Rechtsanspruch bestritten. Das habe ich nicht getan, weil mir das Schicksal der Vertriebenen gleichgültig wäre — ich weiß genau, wieviel Unrecht ihnen geschehen ist, ich weiß allerdings auch, wieviel Unrecht vorher getan worden ist —, sondern ich habe es getan, weil ich darauf hingewiesen habe, daß die Bundesrepublik in den Verträgen, hier im polnischen Vertrag, darauf verzichtet hat, Grenzveränderungsansprüche geltend zu machen, auch für die Zukunft. Und daß ein wiedervereinigtes Deutschland nicht zustandekommen wird ohne einen solchen Verzicht.

Angesichts der kritischen Weltwirtschaftslage müßte die Bon-
ner Regierung doch noch viel mehr Gewicht auf die Koopera-
tion mit dem Osten legen.

Egon Bahr: Natürlich sind wir dazu bereit, das ist doch
offensichtlich. Die Zuwachsrate im letzten Jahr betrug 43 %
mit der Sowjetunion, das ist nicht wenig, mit Polen über
80 %. Zwischen Frankreich und der Sowjetunion hat sich die
Kooperation in einem Jahr verdoppelt, ebenso zwischen den
USA und der Sowjetunion.
Aber das ist doch keine Alternative, durch die unsere westlichen Verbindungen und wirtschaftlichen Verflechtungen zu
ersetzen wären. Wer dies behauptet oder glaubt, hat keine
Ahnung von Ziffern. Die Verdoppelung unseres Handels mit
der Sowjetunion, in zwei Jahren durchgeführt, hat uns jetzt
zu einem Stand gebracht, in der unser Handel mit der Sowjetunion ungefähr den gleichen absoluten Umfang hat wie der
mit Belgien. Selbst wenn Sie das nochmals verdoppeln, ergibt
sich keine Alternative.

Wie stehen Sie zur weiteren Verlegung von Bundesämtern
nach Berlin? Untersagt das Abkommen nicht Rechtsakte von
Bundesbehörden in Berlin?

Theo Sommer: Im Text des Berlin-Abkommens ist nichts aus-
gesagt, das uns verbieten würde, weitere Ämter nach Berlin
zu setzen. Vielleicht wäre es besser und klüger gewesen, auch
dies zu regeln; darüber kann man streiten. Aber jetzt muß gelten: Erlaubt ist, was nicht verboten ist.

Heinrich Lummer: Das Bundesumweltamt ist nicht das erste
Amt, das nach Berlin kommt. In Berlin gibt es über 50 Behörden und Institutionen des Bundes, darunter auch eine Reihe
von Bundesämtern, die schon immer das getan haben, was in
Zukunft das Bundesumweltamt tun wird. Dies ist nicht verboten.

Richard Löwenthal: Was der Frager gemeint hat, ist die Be-
stimmung im Berlin-Abkommen, derzufolge die Bundesorgane, die höchsten Bundesorgane, in Berlin keine Hoheitsakte
92   durchführen dürfen. Daß also zum Beispiel der Bundestag in

Berlin nicht Beschlüsse faßt, daß der Bundespräsident in Berlin nicht Gesetze unterzeichnet. Das steht tatsächlich drin.

Egon Bahr: Das heißt, daß Bundesrecht nicht unmittelbar geltendes Recht in Berlin wird.

Noch einmal und im einzelnen: Wie steht es um die CDU-Alternative zur heutigen Ostpolitik?

Heinrich Lummer: Ich habe doch dazu Ausführungen gemacht; die zugehört haben, wissen, wo die Unterschiede sind und was wir anders sehen.

Erstens. Es gibt keinen Unterschied im Hinblick darauf, daß seit Beginn der sechziger Jahre Vertragspolitik mit den osteuropäischen Ländern notwendig war. Es gibt aber, zweitens, einen wesentlichen Unterschied, was den Inhalt der Vereinbarungen und Verträge anbetrifft, und hier habe ich eine Reihe von konkreten Alternativen zu den einzelnen Verhandlungskompromissen genannt.

Jetzt haben wir völkerrechtlich verbindliche Verträge. Ich sagte, als wir von den Perspektiven sprachen, daß wir auf der Basis operieren werden, das Beste aus der Sache zu machen. Da eine künftige CDU-Regierung immer eine Regierung sein wird, die auf dem Boden der Rechtsstaatlichkeit steht, können wir nicht die Verträge vom Tisch wischen oder in den Papierkorb werfen und neue Verträge machen, sondern wir müssen auf der Basis dieser Verträge vorgehen.

Olaf von Wrangel: Wir haben ausführlich über die Politik der sechziger Jahre gesprochen, und ich meinte, es wäre eine richtig gute Politik gewesen mit Handelsmissionen und Kulturaustausch, dem politische Verträge als Krönung folgen konnten. Zur späteren Verhandlungsmethode habe ich gesagt, daß man die Deutschlandpolitik oft mit einer kurzatmigen innenpolitischen Effekthascherei gemacht hat. Dies ist schon in der Anlage eine falsche Verhandlungsmethode.

Wenn gesagt wird, in Berlin sei alles besser geworden, so haben weder Herr Lummer noch ich geleugnet, daß beispielsweise die Besucherregelung ein Fortschritt ist. Wir haben aber auch über den Zwangsumtausch gesprochen. Ich habe 93 darauf hingewiesen, daß für Berlin einiges auch schlechter geworden ist, zum Beispiel die Außenvertretung.

Wolfgang Mischnick: Sie sagen schlechter geworden; gegen--über dem früheren Zustand? Da ist doch mit Sicherheit nichts schlechter geworden, im Gegenteil. Besser!

Egon Bahr: Ja, im Gegenteil. Das, was unter der Führung Ihrer Freunde, Herr von Wrangel, den Bach 'runtergegangen ist, die Bundespässe für die Westberliner 1955, das haben wir zurückgeholt.

Olaf von Wrangel: Herr Bahr, ich habe gemeint, daß es eine lange Zeit gegeben hat, in der die Berlin-Klausel — es hat auch eine andere gegeben — in den Verträgen drin gewesen ist. Das werden Sie doch nicht bestreiten können; denken Sie an Handelsverträge. Dies habe ich gemeint. Und was die Frage der Außenvertretung Berlins betrifft, so habe ich selber auf den Prager Vertrag hingewiesen, das Problem ist doch nach wie vor Gegenstand einer Kontroverse zwischen Regierung und Opposition.

Egon Bahr: Ich möchte nur korrigieren, daß in der Außenvertretung Berlins nichts, aber auch nichts schlechter geworden ist. Wir können vielleicht darüber streiten, ob schon alles erreicht ist an vollständiger Außenvertretung, was wir uns wünschen. Gemessen an dem Zustand bis 1969 verzeichnen wir in der Außenvertretung nur Verbesserungen, auch solche, von denen einige sogar gemeint haben, wir dürften sie noch nicht einmal wieder verlangen. Die Verbesserung ist schlechterdings unbestreitbar.

Olaf von Wrangel: Herr Kollege Bahr, es ist doch richtig, daß es in der Berlin-Frage, während die Verhandlungen geführt wurden, zwischen großen Teilen der Opposition und der Bundesregierung sehr lange eine gemeinsame Position in fast allen Punkten gegeben hat. Es ist doch auch richtig, daß die Bindung Berlins an die Bundesrepublik und die Außenvertretung Berlins — das waren die kritischen Punkte — der anderen Seite abgetrotzt worden sind. Wenn ich mir aber jetzt die Problematik der Außenpolitik ansehe, habe ich den Eindruck, daß die DDR zurückkehren will zur alten sowjetischen und DDR-Theorie, derzufolge Berlin eine selbständige Einheit ist, und daß immer wieder bei jeder Frage der Versuch gemacht wird, die außenpolitische Vertretung durch die Bundesregierung in Frage zu stellen.

Regierung und Opposition, sind sie in der Ostpolitik denn noch gegensätzlich?

Olaf von Wrangel: So, wie die Bundesregierung diese Verträge als Erfolg für sich verbuchen zu können meint, so verbucht die CDU/CSU den seinerzeitigen Vertrag mit Moskau und die Heimkehr der Kriegsgefangenen als Erfolg der Politik Konrad Adenauers.

Aber ich glaube, es ist die Pflicht der Opposition, die Kontrollfunktion auszuüben, und wenn sie anderer Meinung als die Regierung ist, dies auch mit großem Freimut und großer Klarheit zu sagen. Nichts ist schlimmer für ein freies Parlament und für eine freie Demokratie, als wenn dieses Parlament konformistisch würde. Wir haben nicht die Absicht, dies zu werden.

Denken Sie doch mal daran, wie lange die SPD dazu gebraucht hat, um endlich auf den Boden der Pariser Verträge zu kommen.

Egon Bahr: Zu einer Bemerkung vorhin, daß es keine großen Unterschiede in der Ostpolitik zwischen der Regierung und der CDU gebe. Dies bestreite ich. Es gibt nach wie vor erhebliche Unterschiede. Wir haben es heute abend mit besonders fairen und sachlichen Vertretern der Opposition zu tun. Aber Franz Josef Strauß beispielsweise hat gesagt, es gehe in der Ostpolitik der Bundesregierung gar nicht einmal um Ausverkauf, denn beim Ausverkauf bekomme man ja noch etwas! Derlei wird heute abend hier nicht gesagt, und deshalb kann der falsche Eindruck entstehen, als ob eitel Freude, Friede und Sonnenschein bestünde. Das ist nicht der Fall.

Richard Löwenthal: Ich möchte festhalten, daß es in der CDU zu den Verträgen, als sie noch umkämpft waren, als sie noch nicht in Kraft waren, doch zwei verschiedene Haltungen gegeben hat. Die vorherrschende Haltung war die Ablehnung von Vertragsabschlüssen auf der Grundlage des Status quo. Das war die große Streitfrage. Diese Frage ist ausgestanden. Nachdem sie ausgestanden ist, gibt es viele kluge CDU-Leute, die jetzt nur sagen, wir hätten dieselben Verträge mit etwas härteren Bedingungen aushandeln sollen und aushandeln können. Das ist ein anderer Standpunkt als vor Tisch. Aber nun ist das Essen serviert, und es wird gegessen.